Ray Banana

TEXT: PIERRE NEDJAR   **ZEICHNUNG: TED BENOIT**

D1221128

DIE MEMOIREN DER THELMA RITTER

EDITION
comicArt
IM CARLSEN VERLAG

EDITION COMIC ART im Carlsen Verlag
Lektorat: Andreas C. Knigge
1. Auflage März 1991
© Carlsen Verlag GmbH · Hamburg 1991
Aus dem Französischen von Klaus Jöken
L'HOMME DE NULLE PART
Copyright © 1989 by Nedjar/Benoit and Casterman, Tournai
Lettering: Rudi Rettich
Druck und buchbinderische Verarbeitung:
Casterman (Tournai/Belgien)
Alle deutschen Rechte vorbehalten
ISBN 3-551-02552-5
Printed in Belgium

WENN SIE MICH SO AM TRESEN IM "SOL" LEHNEN SEHEN, HINTER MEINEM BIER INS LEERE STARREND, TAUB GEGENÜBER DEN BEMÜHUNGEN ABNERS UND GINOS, MICH AUFZUHEITERN, DENKEN SIE BESTIMMT:
"DIE ARME ALTE THELMA WIRD LANGSAM SKURRIL. SEHT MAL, WIE SIE MIT IHREM LOS HADERT: ALS ÄLTLICHE WITWE EINSAM UND SCHUTZLOS IN DIESER GROSSEN, UNMENSCHLICHEN STADT! DAS STAUBTUCH ALS EINZIGER BROTERWERB, DEN ERNIEDRIGUNGEN LAUNISCHER ARBEITGEBERINNEN AUSGELIEFERT... JA, DIE ARME THELMA WIRD ZUM STAMMGAST, VERBRÜDERT SICH MIT HANDELSVERTRETERN UND SUCHT ZUFLUCHT IN GIN UND FUSEL!"

NA, DA SIND SIE ABER MÄCHTIG AUF DEM HOLZWEG. DABEI GRÜBELE ICH NÄMLICH NICHT ÜBER MEIN LOS NACH, MIT DEM ICH VÖLLIG EINVERSTANDEN BIN.

NEIN, GEWÖHNLICH DENKE ICH AN X, Y ODER Z, EINE DER PERSONEN, IN DEREN LEBEN ICH IRGENDWANN ALS PUTZFRAU ODER HAUSHÄLTERIN GEPLATZT BIN UND DEREN GESCHICHTE ICH PLÖTZLICH SOZUSAGEN VON INNEN LESEN KONNTE. SELBST WENN'S DAS ALLERGRÖSSTE ARSCHLOCH IST –WENN SIE MIR DIESEN AUSDRUCK GESTATTEN–, SOBALD MAN IHN EINMAL SO GESEHEN HAT, GEHT ER EINEM NICHT MEHR AUS DEM KOPF.
ICH LESE VIEL. BIN EINE EINGEFLEISCHTE LESERIN. LESEN GIBT DEM LEBEN EINEN SINN.

ICH WEISS NICHT, OB SIE'S BEMERKT HABEN, ABER DAS LEBEN HAT KEINEN SINN. "EINE VON EINEM IDIOTEN ERZÄHLTE GESCHICHTE, USW...." (SHAKESPEARE). ZU ZEITEN ELMERS, MEINES SELIGEN MANNES, HAB ICH IN DER STRASSENBAHN, DIE MICH ZU DEN FEINEN WOHNGEGENDEN KUTSCHIERTE, IN DENEN ICH PRAKTIZIERE, EINE SCHWARTE NACH DER ANDEREN VERSCHLUNGEN.

5

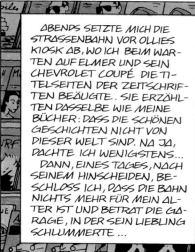

ABENDS SETZTE MICH DIE STRASSENBAHN VOR OLLIES KIOSK AB, WO ICH BEIM WARTEN AUF ELMER UND SEIN CHEVROLET COUPÉ DIE TITELSEITEN DER ZEITSCHRIFTEN BEÄUGTE. SIE ERZÄHLTEN DASSELBE WIE MEINE BÜCHER: DASS DIE SCHÖNEN GESCHICHTEN NICHT VON DIESER WELT SIND. NA JA, DACHTE ICH WENIGSTENS...

DANN, EINES TAGES, NACH SEINEM HINSCHEIDEN, BESCHLOSS ICH, DASS DIE BAHN NICHTS MEHR FÜR MEIN ALTER IST UND BETRAT DIE GARAGE, IN DER SEIN LIEBLING SCHLUMMERTE ...

...GLEICH EINER JUNGFRÄULICHEN PRINZESSIN... ICH STECKTE DEN ZÜNDSCHLÜSSEL INS DAFÜR VORGESEHENE LOCH UND STÜRZTE MICH IN DEN VERKEHR.

ANGESICHTS MEINER FAHRKÜNSTE SETZTE ICH DAMIT DAS LEBEN MANCHEN HUNDES UND VERKEHRSPOLIZISTEN AUFS SPIEL, ABER BISLANG HAB ICH NUR EINMAL BEIM EINPARKEN BEI EINEM MEINER ARBEITGEBER DIE ZIERLEISTE SEINES PACKARDS ABGERISSEN.

SOLLEN SIE DOCH GRÖSSERE GARAGEN BAUEN!

WAS LESEN ANGEHT, HAT DAS MEINE MÖGLICHKEITEN NATÜRLICH GEWALTIG EINGESCHRÄNKT. STATT DESSEN FING ICH AN ZU DENKEN. AN ALLE HÄUSER, IN DIE ICH GEKOMMEN WAR, DIE VOR MIR AUSGEBREITETEN LEBENSGESCHICHTEN. DAS WAR WIE EIN GROSSES, AUFGESCHLAGENES BUCH.

ES ERZÄHLTE VON DIESER STADT, STÜCK FÜR STÜCK, MAN MUSSTE ES NUR NOCH NIEDERSCHREIBEN. IRGEND JEMAND MUSSTE ES TUN. ICH BEHAUPTE NICHT, DASS ICH EINE BESTIMMUNG DAZU GESPÜRT HÄTTE, ABER ...ETWAS IST SCHON DRAN.

ALSO KREISEN IM "SOL", IM DRIVE-IN-RESTAURANT MEINE GEDANKEN IMMER UM SIE, UM HERMAN SCHWARTZ UND PEPITA LUZ, UM LAURA LINELL UND DEN JUNGEN, DEN ICH DEN MANN VON NIRGENDWO NENNE.

JA, DAS SAGE ICH MIR, WÄHREND ICH MIT MEINEN MEMOIREN ANFANGE. ICH MÖCHTE ALLE GESCHICHTEN ERZÄHLEN, DIE ICH IRGENDWANN SELBST MITERLEBT HABE, EINE PRO KAPITEL, UND IHNEN ETWAS SINN VERLEIHEN.

AUF DIE DAUER WIRD DAS AUCH MEINER GESCHICHTE EINEN GEBEN.

SANTA IÑES

ENTSCHULDIGUNG, MISSES... KÖNNEN
SIE MIR SAGEN, WIE ICH HEISSE ?

SCHON VON WEITEM WAR ER MIR AUFGEFALLEN. ER KAM MIR AUF DEM BÜRGERSTEIG ENTGEGEN, UND MAN SAH GLEICH, DASS ER NICHT WUSSTE, WIESO ER IN DIE RICHTUNG GING, UND NICHT IN DIE ENTGEGENGESETZTE.
ER WAR ZIEMLICH BIEDER ANGEZOGEN : SCHWARZE SCHUHE, HOSE, BLAUES HEMD MIT OFFENEM KRAGEN. ABER WEDER JACKE NOCH SCHLIPS ODER ARMBANDUHR. ER GING AN MIR VORBEI, ZÖGERTE, KEHRTE UM UND FRAGTE :
"ENTSCHULDIGUNG, MISSES. KÖNNEN SIE MIR SAGEN, WIE ICH HEISSE ?"
DAS VERSCHLUG MIR DIE SPRACHE, OBWOHL ICH IHN SOFORT FÜR EINEN MIT DACHSCHADEN GEHALTEN HATTE. ICH ANTWORTETE, DAS KÖNNTE ICH NICHT, UND ER SOLLTE VIELLEICHT EINEN POLIZISTEN FRAGEN.

WISSEN SIE
DAS WIRKLICH
NICHT ?

IMMERHIN KANN ICH IHNEN SOVIEL SA-
GEN : WIR SIND HIER IN DER ALMOND
STREET IN SANTA IÑES. WIR HABEN
DEN 2.6.1989, UND ES IST 9 UHR 17.

VIELEN DANK, SEHR
NETT VON IHNEN.

ICH FRAGTE IHN, OB ER ETWA AN GEDÄCHTNISSCHWUND LEIDE. "ICH WEISS NICHT", ANTWORTETE ER, "GLAUBEN SIE ?", UND GING WEITER.

AN JENEM TAG TRAT ICH MEINEN DIENST BEI DEN LINELLS MIT 21 MINUTEN VERSPÄ-
TUNG AN. UNAUFHÖRLICH GUCKTE ICH AUS DEM KÜCHENFENSTER, OB ICH IHN ETWA
WIEDERSEHEN WÜRDE. UND DAS SOLLTE ICH.

LAURA LINELL STIEG VOR DER VERLAINE
APOTHEKE, AN DER ECKE ZUR HUERTA,
AUS IHREM PONTIAC COUPÉ. ER GING AUF
SIE ZU UND FRAGTE SIE ETWAS.

ZEHN MINUTEN SPÄTER TAUCHTE DIESE JUNGE PERSON -DIE EIN HERZ HAT, WIE MAN'S BEI IHRESGLEICHEN SELTEN ANTRIFFT- MIT IHM IM ELTERNHAUS AUF.

"NANU, SIE WIEDER! WIE GEHT'S IHNEN?" FRAGTE ICH FREUNDLICH. LAURA WAR BAFF, DASS ICH IHN KANNTE.

LIEBE LAURA, ICH GLAUBE, SIE SOLLTEN SICH AN DIE POLIZEI WENDEN. DIE KANN SICHER MEHR FÜR DIESEN HERRN TUN.

MAX!

MAX?

WIR HABEN BESCHLOSSEN, IHN VORLÄUFIG SO ZU NENNEN. ABER AUF KEINEN FALL GEHE ICH ZUR POLIZEI! DIE STECKEN IHN BLOSS IN EINE DIESER SCHRECKLICHEN NERVENHEILANSTALTEN, THELMA!

SIE HATTE IHN IN EINE BAR GESCHLEPPT UND VERSUCHT, IHM DIE WÜRMER AUS DER NASE ZU ZIEHEN. ABER ALLES, WAS SIE RAUSKRIEGEN KONNTE, WAR, DASS ER JEDE ORIENTIERUNG VERLOREN HATTE. SONST ERINNERTE ER SICH AN NICHTS. PLÖTZLICH HATTE ER DAGESTANDEN, AUF DEM BÜRGERSTEIG, ZEHN MINUTEN, EHE ICH IHM BEGEGNET WAR, ALS WÄRE ER GERADE GEBOREN. OHNE EINE SPUR VON 'NEM UNFALL ODER SONSTWAS, WAS SEINEN ZUSTAND ERKLÄREN WÜRDE.

*

SIE ERKLÄRTE IHM, WAS DAS SEI, MIT ALLEN SCHRECKLICHEN DETAILS. NATÜRLICH HATTE SIE BESCHLOSSEN, IHN AUFZUNEHMEN UND IHM ZU HELFEN, SEINE IDENTITÄT WIEDERZUFINDEN. ICH ERZÄHLTE IHR NICHT, WAS IHRE ELTERN DAVON HALTEN WÜRDEN. WAR GAR NICHT NÖTIG. SIE HATTE AN ALLES GEDACHT.

*

NATÜRLICH SAGEN WIR NICHT, DASS ER UNTER AMNESIE LEIDET. ER HAT SICH BEWORBEN, UND ICH HABE IHN FÜR DEN SWIMMINGPOOL EINGESTELLT. ER KANN HIER WOHNEN.

ER BEKAM ARMANDS ZIMMER. ARMAND WAR DER CHAUFFEUR UND GÄRTNER, DER KÜRZLICH GEHEIRATET HATTE UND IN DIE STADT GEZOGEN WAR. SIE HATTE SCHON ARMAND UND MICH UND EIN ZIMMERMÄDCHEN. ALSO WIESO NICHT NOCH JEMANDEN FÜR DEN SWIMMINGPOOL...?

★　　　★　　　★

MAX LERNTE SEINEN JOB RASCH, UND DA EINE STUNDE PFLEGE PRO TAG FÜRS SCHWIMMBECKEN VOLLAUF REICHTE, ER ABER NICHTS ANDERES ZU TUN HATTE, WAR DAS WASSER BALD SO SAUBER, DASS GEORGE LINELL DAMIT SEINEN BOURBON HÄTTE VERDÜNNEN KÖNNEN.

ICH MUSSTE DAS FANG-NETZ HALTEN, DAMIT ER DEN...FISCH AB-NEHMEN KONNTE.

WAR DAS DEIN VATER? JA, MAX, DEIN VATER?!

ICH...WEISS NICHT...!

...IHN ZU BESCHÄFTIGEN, VERBRACHTE LAURA VIEL ZEIT DAMIT, EIN PAAR ERINNERUNGEN AUS IHM HERAUSZULOCKEN. VIEL LOCKTE SIE NICHT ...US, MUSS ICH SAGEN, OBWOHL SIE SICH FÜR EINE GLÄNZENDE PSYCHOLOGIESTUDENTIN HIELT. SEIN WEICHES HERZ, DIE KNACKIGEN ...EISSIG LENZE, GEPAART MIT EINER IN SEINER LAGE NATÜRLICHEN ZURÜCKHALTUNG, MACHTEN IHN ZU EINER SEHR ATTRAKTIVEN PERSON. ...RZ, SIE BISS SELBER AN.

MRS. RITTER... GLAUBEN SIE NICHT, DASS DIE BEIDEN...

MRS. LINELL! ABER NATÜRLICH NICHT!

UND GEORGE HOCKT DAU-ERND MIT SEINEN ZIGAR-REN IM BÜRO! WENN ER NUR MAL MIT IHR REDEN WÜRDE!

GLÜCKLICHERWEISE MUSSTE ICH NICHT LÜGEN. ICH ERLÄUTERTE IHR DEN FEINEN CHARAKTER DES JUNGEN, WAS SIE IMMER-HIN ETWAS BERUHIGTE. TROTZDEM, EIN MANN, DER SCHWIMMBECKEN REINIGT! GEWISS, ES WAR NICHTS "PASSIERT", ABER ES WAR OFFEN-SICHTLICH, DASS LAURA KURZ VORM EXAMEN - SIE STUDIERTE ÜBRI-GENS KUNSTGESCHICH-TE - ALLES ANDERE IM KOPF HATTE ALS IHREN LEHRSTOFF.

SIE WAR EIN NETTES, ABER RESOLU-TES MÄDCHEN, HATTE ZU ALLEM EI-NE MEINUNG UND HIELT SICH FÜR FÄHIG, DIE MITMENSCHEN NACH IH-REM GESCHMACK UMMODELN ZU KÖNNEN. SIE WAR VON MAX EIN-FACH IRGENDWIE FASZINIERT.

ABER SAG IHM DOCH ENDLICH ETWAS! DER JUNGE KOSTET UNS 30 DOLLAR AM TAG, UND WIR KÖNNEN NICHT...

MAMA! ICH WÜNSCH-TE, DU WÜRDEST IM POOL ERTRINKEN!

SIE BRACHTEN SIE GENAUSO-WENIG ZUR VERNUNFT, WIE SIE IHN INS LEBEN ZURÜCK-HOLTE. LAURA SCHLOSS DARAUS, DASS SIE DIE HILFE EINES PROFIS BRAUCHTE. ABER DA ES NICHT IN FRAGE KAM, DIE POLIZEI SAMT KLAPSMÜHLE HINZUZUZIE-HEN, HECKTE SIE EINEN PLAN AUS...

WIR KÖNNTEN EINEN EINBRUCH VORTÄUSCHEN... PAPA RUFT DIE POLIZEI...

UNTER DEN AUFTAUCHENDEN INSPEKTOREN SU-CHEN WIR UNS EINEN *SYMPATHISCHEN* JUNGEN AUS, VIELLEICHT EINEN PRAKTIKANTEN, DEN ICH ANSPRECHE UND ÜBERREDE, MAL DISKRET IN DER VERMISSTENABTEILUNG NACHZUFORSCHEN ...

...IN DEN MILITÄRAKTEN ODER DER FÜHRER-SCHEINKARTEI !

NEIN, LAURA, DAS GEHT NICHT. DAS WÄRE UNFAIR DEINEN ELTERN GEGENÜBER.

ES WAR EIN DÄMLICHER PLAN, BLOSS UM DER TATSACHE ABZUHELFEN, DASS SIE KEINEN POLIZISTEN UNTER IHREN BEKANNTEN HATTE. AUSSER-DEM WÄRE MAX SOFORT VERHÖRT WORDEN. SIE BEGRIFF, DASS SIE ETWAS AUSSER HAUSES INSZENIEREN MUSSTE. SIE PLANTE UND PLAN-TE, WAR SCHLIESSLICH GELADEN WIE EINE BATTERIE, UND DIE ATMOSPHÄRE IN DER FAMILIE ÄHNELTE BALD DER KURZ VOR EINEM GEWALTIGEN ORKAN.

ZWEI TAGE SPÄTER, ALS MAX GERADE AUSGEGANGEN WAR, UM SALZ FÜR DEN SWIMMING-POOL ZU HOLEN - IN EINEM FÜHRERSCHEINFREIEN MINIATURAUTO -, KLINGELTE EIN GEWISSER MR. SCHOFELD AN DER TÜR.

ER ÜBERREICHTE MIR EINE KARTE DER FIRMA, DIE DIE PUMPEN DER FILTERANLAGE HERSTELLT, UND SAGTE, ER KÄME WEGEN DER JÄHRLICHEN ÜBERPRÜFUNG. ICH ZEIG-TE IHM DIE ÖRTLICHKEITEN, GLEICH NEBEN DEM ZIMMER VON MAX.

HALLO, DIE DESMOND BROS? IHR MR. SCHO-FELD SOLLTE DOCH HEUTE VORBEIKOM-MEN, UM DIE PUMPEN ZU ÜBERPRÜFEN? BEI LINELLS, 1014 ALMOND STREET, IN SANTA INES.

HMM ... NEIN, MRS. WIR KOMMEN ERST IN ZWEI MONATEN. UND WIR HABEN KEINEN SCHOFELD UNTER UNSEREN ANGESTELLTEN.

ERST ALS ER GEGANGEN WAR, SAGTE ICH MIR, DASS MIR SEIN GESICHT NICHT GEFIEL.

12

MAX!

SIE HABEN RECHT. ES GIBT JEMANDEN, DER ES WEISS. DER WEISS, WAS MIR ZUGESTOSSEN IST. DANKE, MRS. RITTER.

...ZU WARNEN WAR DAS MINDESTE. IHM SAGEN, DASS EVENTUELL DIE-... SCHOFELD WUSSTE, WER ER WAR. WENN'S WIRKLICH EIN SCHNÜFF-... WAR, WIE ICH ANNAHM.

...TTE ICH IHM MITGETEILT, MAN WÄRE GEKOMMEN, UM ... INS WEISSE HAUS ZU FÜHREN, HÄTTE DAS AUCH KEI-... GRÖSSEREN EINDRUCK AUF IHN GEMACHT. IN SEI-... LAGE SCHIEN IHN NICHTS MEHR AUFZUREGEN.

ER GING AUF SEIN ZIMMER. SPÄTER FAND ICH DORT NEBEN DEM TELEFON EINE WAN-ZE, DIE ER WOHL IM HÖRER ENTDECKT UND DANN LIEGENGELASSEN HATTE. WAHR-SCHEINLICH FRAGTE ER SICH, WAS DIE DA ZU SUCHEN HÄTTE.

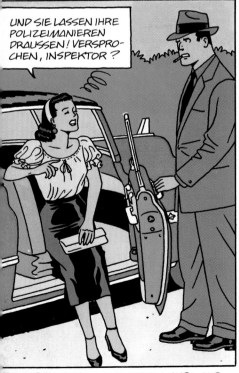

UND SIE LASSEN IHRE POLIZEIMANIEREN DRAUSSEN! VERSPRO-CHEN, INSPEKTOR?

...M SELBEN MORGEN KREUZTE LAURA MIT ...SPEKTOR DELGADO AUF, EINEM JUNGEN ...RÜNSCHNABEL, DER IHR OFFENSICHTLICH WIE ...N REIFER APFEL IN DIE HAND GEFALLEN WAR.

SIE WAR IN HOCHFORM, DAS HEISST, SIE HATTE IN EINER KNEIPE IN CIELITO EIN DUTZEND MARTINIS GEZWITSCHERT, DANN EINEN STRIPTEASE HINGELEGT UND GEISTERFAHRER AUF DER AUTOBAHN GESPIELT.
ANGESICHTS IHRER ADRESSE BESCHLOSSEN DIE POLIZISTEN EINFACH, SIE BEIM PAPA ABZULIEFERN, DER IHR DIE ÜBLICHE STRAFPREDIGT VERPASSEN SOLLTE.

BRINGEN SIE DIE SCHNAPSDROSSEL ZU IHREM VATER, DIESEM FEINEN PINKEL, DELGADO! UND LASSEN SIE DEN FEUCHTEN SCHMACHTBLICK STECKEN!

GUT, CAPTAIN.

MAX!

MAX?!

DELGADO WUSSTE NATÜRLICH SCHON VON MAX UND WOLLTE SEINE KARRIERE AUFS SPIEL SETZEN, UM DEN IHM VON LAURA ANVERTRAUTEN AUFTRAG AUSZUFÜHREN.

THELMA! ER IST WEG!!

BLOSS, MAX WAR VERSCHWUNDEN. UND MIT IHM DIE BEIDEN ANZÜGE, DIE SIE IHM GE-KAUFT HATTE, SOWIE DIE 150 DOLLAR GEHALT, DIE ER NOCH NICHT AUSGE-BEN KONNTE.

DAFÜR LIESS ER DEN SIE-GELRING ZURÜCK, DEN SIE IHM AUFGEDRÄNGT HATTE, ALS OB IHM DAS EINEN NAMEN HÄTTE GEBEN KÖNNEN. UND AUCH DIE WANZE NEBEN DEM TELEFON. DAS MI-KRO BEDEUTETE, DASS DER UMGANG MIT IHM EVENTUELL NICHT RISIKOLOS WAR.

IST IHNEN KLAR, DASS ER ALLEINE KEINE CHANCE HAT? ÜBERHAUPT KEINE! WIE KONN-TEN SIE IHN GEHEN LASSEN, DUMME KUH!

ABER, ABER, MISS LINELL... BERUHIGEN SIE SICH DOCH...

ACH, HALTEN SIE DEN MUND!

OH, DAS HAT SIE MANCH-MAL, ABER DAS GEHT VORBEI.

HIER, INSPEKTOR. EIN FOTO VON IHM. DAS IST ER!

WOHIN GE-HEN WIR?

IHN SUCHEN! WAS GLAU-BEN SIE?

14

DEN FOLGENDEN TAGEN KLAPPERTEN LAURA UND DELGADO ALLE HOTELS DER STADT AB,
RCHFORSCHTEN HEIMLICH DAS POLIZEIARCHIV, FANDEN ABER WEDER MAX NOCH IRGEND-
EN HINWEIS AUF SEINE IDENTITÄT, SEINE VERGANGENHEIT ODER DIESEN "SCHOFELD".

AM NÄCHSTEN SONNTAG FRAGTE ARMAND, DER CHAUFFEUR, DER DEN ERSTEN EHEKRACH HATTE, OB ER NICHT IN SEINEM EHEMALIGEN ZIMMER ÜBERNACHTEN KÖNNTE. NIEMAND DACHTE, DASS MAX ZURÜCKKEHREN WÜRDE.

ORGENS, ALS ER SICH NACH ERQUICKENDEM SCHLAF UNTER DEN ZWEIGEN DER DEN SWIMMINGPOOL ÜBERRAGENDEN ARAUCARIA RÄKELTE, ZER-
TZTEN IHM ZWEI KUGELN AUS EINER WINCHESTER 30-30 HALS UND MILZ, WORAUF ER INS BLAUE WASSER PLUMPSTE.

IN DIESEM JAHR FIEL LAURA LINELL ZUM ERSTEN MAL IM LEBEN IM EXAMEN DURCH, UND DAS MUSEUM DER SCHWEICKHART FOUNDATION VERLOR EINE ZUKÜNFTIGE DIREKTORIN.

DOWNTOWN METROPOLIS

WIRKLICH ÜBER-RASCHT WAR ICH EI-GENTLICH NICHT, ALS ERNESTINE LINELL MIR VIER-ZEHN TAGE SPÄ-TER DEN BRIEF ÜBERREICHTE. ÜBERRASCHT, EI-NEN BRIEF VON MAX ZU BEKOM-MEN, MEINE ICH. DER JUNGE MANN WAR ZU PLÖTZLICH VERSCHWUNDEN, UM NICHT EIN, ZWEI KLEINIGKEI-TEN VERGESSEN ZU HABEN.

ICH WÄRE IHNEN DANKBAR, WENN SIE ES IN ZUKUNFT UNTERLIES-SEN, IHRE POST HIERHER SCHIK-KEN ZU LASSEN, MRS. RITTER.

"KEINE SORGE, ICH WERDE MIR EIN POSTFACH ZULEGEN", ANTWORTETE ICH.

*   *   *

DIE VON MAX VERGESSENEN KLEINIGKEITEN GEHÖRTEN EIGENTLICH NICHT DER MATERIELLEN WELT AN, WENN SIE VERSTEHEN, WAS ICH MEINE. ZUM BEISPIEL BAT ER MICH NICHT DARUM, IHM SEINE MANSCHETTEN-KNÖPFE ZU SCHICKEN. ER WOLLTE MICH NUR "SPRE-CHEN" UND GAB ALS TREFF-PUNKT DIE ADRESSE EINES HOTELS AN. ER SCHRIEB NICHT DIREKT, DASS ICH SEIN VERTRAUEN GEWON-NEN HÄTTE, ABER UNGE-FÄHR DAS WAR DAMIT GEMEINT.

...O WOLLTE ICH ES NICHT ENTTÄUSCHEN, INDEM ICH MICH EINFACH IN 'NEM TAXI HINFAHREN UND EINE DUMME GANS BESCHATTEN LIESS.

ICH BAT DEN FAHRER, MICH VOR EINEM KINO IN WESTFORD ABZUSETZEN, DAS ICH DURCH DEN ANGRENZENDEN LADEN VERLIESS, NACHDEM ICH KAUM MEHR ALS DREI TAKTE VON "MAN IST NIE ZU JUNG" GESEHEN HATTE.

ANSCHLIESSEND NAHM ICH DIE STRASSENBAHN BIS ZUM PARK, SPRANG DANN IM LETZTEN MOMENT IN DAS CABLE-CAR ZUM LIONS PLACE. GANZ IN DER VON DER "POLICE-GAZETTE" EMPFOHLENEN TECHNIK.

> ÄH...ZU MISTER FLOYD GUTTER-MAN, BITTE.

OB MAN'S GLAUBT ODER NICHT, DAS EXETER WAR GENAU DIE ART VON HOTEL, DIE IN "CRIME AND MURDER" BESCHRIEBEN WIRD. ER HAUSTE IN ZIMMER 22, UND ES WAR MIR SCHLEIERHAFT, WIE ER DEN FANATISCHEN NACHFORSCHUNGEN LAURAS ENTGANGEN IST.

ER HIESS NICHT MEHR MAX, SONDERN FLOYD GUTTERMAN. SEINE AUGEN BLICKTEN BESORGTER DREIN, UND DIE BEIDEN ANZÜGE HINGEN AN DER SCHRANKTÜR. MAX ODER FLOYD, WAS MACHTE DAS FÜR EINEN UNTERSCHIED?

ES BEDRÜCKTE MICH, DASS ER JETZT SOGAR DEN NAMEN VERLIEREN MUSSTE, DEN WIR IHM GEGEBEN HATTEN. NA JA, EIGENTLICH SIE.

> SIE DARF NICHT ERFAHREN, DASS SIE MICH GESEHEN HABEN, MRS. RITTER. IST DAS KLAR?

> VOR ZEHN TAGEN HAT JEMAND ARMAND MIT EINEM PRÄZISIONSGEWEHR ERSCHOSSEN. AM SWIMMINGPOOL.

DAS WAR HART, ABER ICH SAH KEINEN GRUND, DIE PILLE ZU VERSÜSSEN.

> MEIN GOTT!...VERZEIHEN SIE MIR.

> DAS KONNTEN SIE NICHT WISSEN, MAX.

> O DOCH, DAS KONNTE ICH. NACH SCHOFELDS BESUCH HÄTTE ICH AUF SO WAS GEFASST SEIN MÜSSEN.

IHM WAR NICHT ZU HELFEN. ER WAR SO UN- SCHULDIG WIE EIN SÄUGLING, DOCH ICH K... TE IHN NICHT DARAN HINDERN, ALLE SÜN... DER WELT AUF SICH ZU LADEN.

20

SCHOFELD!...WAS WISSEN SIE VON IHM? WIE IST ER?

E MAN WIEDER DEN GAUL BESTEIGT, EINEN GERADE ABGEWORFEN UND I RIPPEN GEBROCHEN HAT", SAGTE NE MUTTER. ALTES FAMILIENSPRICH- TER). ICH ERZÄHLTE IHM VON OFELD UND SEINEM GRÜNEN OLDS- BILE. "WAS IST DAS?" BOHRTE NACH.

EINE AUTOMARKE. MIT IHREM GEDÄCHTNIS HAPERT'S WOHL NOCH, WAS? MAL SEHEN, OB ICH IHNEN EINEN ZEIGEN KANN.

MEHRERE MINUTEN LANG BEOBACHTETEN WIR DAS SCHAUSPIEL DER STRASSE. DIE SHOW WAR GAR NICHT SO ÜBEL, NUR HATTEN GERADE DIESE AUTOS AN DEM TAG WOHL AUSGANGSSPERRE. DANN SAGTE ER: "HATTE DER WAGEN DENN KEIN NUMMERNSCHILD?"

ÄH, ICH HAB DIE NUMMER EBEN NICHT NOTIERT!

GENAU DAS HATTE ICH DER POLIZEI ERZÄHLT, UND ES STIMMTE SOGAR, SELBST WENN'S MICH WURMTE. DOCH DA GESCHAH ETWAS SELTSAMES: ICH HATTE SIE NICHT NOTIERT, ABER GESEHEN...UND ALLMÄHLICH FIEL SIE MIR WIEDER EIN. ZUERST DIE BUCHSTABEN...

...DANN DIE ZAHLEN, BIS ICH SIE DEUTLICH VOR MIR SAH: "X-RS 4021! ABER DAS NÜTZT IHNEN NICHTS. DIE POLIZEI GIBT NICHT JEDEM X-BELIEBIGEN SOLCHE AUSKÜNFTE."

THELMA...ICH MUSS IHN FINDEN. WENN LAURA...DIESEN POLIZISTEN UM DEN FINGER GEWICKELT HAT, SOLL DER RAUSFINDEN, WEM DER WAGEN GEHÖRT!

BERLASSEN SIE DAS DENEN", SAGTE ICH. "DAS IST ZU EFÄHRLICH, MAX!"

NEIN, ICH MUSS IHN ZUERST SPRECHEN. DAS SPÜRE ICH...WENN SCHOFELD NUN AUCH POLIZIST ODER SO WAS ÄHNLICHES IST! ICH DARF MICH DENEN NICHT AUSLIEFERN.

DAS WAR LAURAS ARBEIT. DIE UND IHRE GESCHICHTE MIT DER NERVENKLINIK. LAURA WAR UNVERNÜNFTIG. NICHTS AN DER GANZEN SACHE WAR VERNÜNFTIG, ABER ES WAR UNHEIMLICH AUFREGEND, VERSTEHEN SIE? ICH SAGTE IHM, ICH WÜRDE SCHON KLARKOMMEN.

EHLT SIE IHNEN NICHT EIN BISSCHEN, MAX?" FRAGTE ICH NOCH. ABEN SIE NICHT MANCHMAL DAS BEDÜRFNIS, MIT DEM EINZIGEN ENSCHEN ZU REDEN, DER SIE WENIGSTENS EIN BISSCHEN KENNT, ENN AUCH ERST, SEIT SIE MAX ODER GUTTERMAN SIND, UND CHT MEHR DINGSBUMS?"

MEIN GOTT, KEINE AHNUNG, WIESO ICH DAS SAGTE! NATÜRLICH WAR'S NICHT NETT.

MR. LOUIS MOZZOTTO, 21 TITMOUSE VILLA, KSA-249-372, MRS. TERESA MRAVITCH, 1052 CHESWICK STRIP...

NATÜRLICH FEHLTE SIE IHM MEHR, ALS ER ZUGEBEN WOLLTE, ABER ES STIMMTE: DA ER SIE NICHT HABEN KONNTE, MUSSTE ER EBEN OHNE SIE AUSKOMMEN.

JA, AM LETZTEN 12.... HM, HMM...

WAR EIN KINDERSPIEL, DIE IN-FORMATION AUS DELGADO HER-AUSZULOCKEN, OHNE DASS ICH MICH SORGEN MUSSTE, LAURA DA RAUSZUHALTEN. WAR VOR-AUSZUSEHEN, DASS EIN GROS-SER EINFALTSPINSEL VON 95 KILO, DER SO, WIE ER VON IHR UMGARNT WORDEN WAR, EINEN SCHUTZWALL UM SIE AUFWERFEN WÜRDE. ER BE-MÜHTE SICH, SIE ZU TRÖSTEN - ER HATTE SIE ZWEIMAL INS RESTAURANT, EINMAL INS THEATER AUSGEFÜHRT - UND HIELT SIE NUR UNVOLLKOM-MEN ÜBER DIE UNTERSU-CHUNG AUF DEM LAUFENDEN, BEI DER ER ÜBRIGENS BLOSS ASSISTENT VON SERGEANT KINCAID WAR.

ÜBRIGENS WARF LAURA IHM VOR, DASS EINE VORLADUN[G] ALS ZEUGE GEGEN MAX ERGANGEN WAR UND JETZ[T] OFFIZIELL NACH SEINER IDENTITÄT GEFORSCHT WUR[DE] ABER WENN IRGENDWELCHE TYPEN AUF ANSTÄNDIG[E] LEUTE WIE ARMAND BALLERN, KANN MAN WOHL NIC[HTS] ANDERES ERWARTEN, SAGTE SICH DELGADO. ICH ÜB[RI]-GENS AUCH, BIS ICH MAX WIEDERSAH UND ER MIR DAS HERZ BRACH.

DURCH EINEN ANRUF BEIM VERKEHRSAMT ERFUH-REN WIR, DASS ES SICH UM EINEN LEIHWAGEN DER FIRMA RESTNIK HANDELTE.

ER HAT DIE GANZE FRAG-LICHE WOCHE IN DER GA-RAGE GESTANDEN. AN-SCHEINEND HAT IHNEN IHR GEDÄCHTNIS EINEN STREICH GESPIELT, MRS. RITTER!

NATÜRLICH WAR DAS EINER VON IHREN WAGEN. ER HATTE SO EINEN AUFKLE-BER AN DER WINDSCHUTZSCHEIBE.

"ICH FRAGE MICH, OB DER WOHL DEN KILOMETERSTAND ÜBERPRÜFT HAT?..." BEMERKTE ICH LISTIG ZU ALBERT, DER VERLEGEN ZUR SEITE SCHAUTE, WÄHREND SEIN CHEF WIEDER AN SEINE ERNSTEN GESCHÄFTE GING.

VIELLEICHT, ABER SIE SOLLTEN MAL DEN KOTFLÜGEL VON MEINEM CHEVI SEHEN.

HÖREN SIE, DAMALS WAR ICH IM URLAUB. ABER SIE HABEN DIE BÜ-CHER GESEHEN: ER KAM AM 3. REIN UND WURDE ERST AM 18. WIEDER AUSGELIEHEN. AL?

YEAH!

"MEIN MANN HAT ACHT JAHRE LANG DENSELBE[N] JOB BEI STAR-CAR GE-MACHT, ALSO WEISS IC[H] BESCHEID. MAN FÜLLT EINE RESERVIERUNG AUS, VERLEIHT DEN WA[-] GEN, UND WENN ALLES GLATTGEHT, ZERREISS[T] MAN DEN SCHEIN UND BEHÄLT DEN ZASTER FÜR SICH. ICH WILL BLO[SS] DIE ADRESSE VON DEM KERL, UM MEINEN KOT[-] FLÜGEL NEU LACKIERE[N] ZU LASSEN..."

ICH HATTE RECHT, ER WAR VOM 7. BIS ZUM 13. AUSGELIEHEN GEWE-SEN, UND ALBERT FLE[H]-TE MICH INSTÄNDIG A[N]

"ALSO, WORAUF WARTEN SIE NOCH?" SCHLOSS ICH.

NA JA, ICH HAB DAS DA. FÜR ALLE FÄLLE. SIE VERSTEHEN, MADAM?

ER ZOG EIN ÖLVERSCHMIERTES NOTIZBUCH HERVOR. ES WAR EIN GEWISSER MR. EDWIN LUNDSTROM, DER DIE ADRESSE EINES MOTELS, DES "PALISADES", AN-GEGEBEN HATTE.

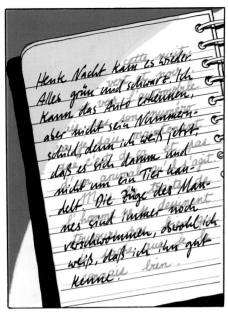

... MIT DER AUSKUNFT SOLLTE ICH DANN IRGENDWANN ABENDS INS "TACO D'ORO" KOMMEN, EINE LATINOAMERIKANISCHE CAFETERIA, WO ER ALS TELLERWÄSCHER ARBEITETE, UND MICH AN DEN TISCH NEBEN DER KASSE SETZEN.

ICH KAPIERTE NICHT GLEICH, WIE MAX MICH VON DER KÜCHE AUS SEHEN SOLLTE, BIS ICH DIE DURCHREICHE ENTDECKTE. DIE AUSHILFEN SCHIELTEN DADURCH DEN FRAUEN IN DEN AUSSCHNITT.

DANN KAM ER HERAUS, STEUERTE AUF DIE KASSE ZU UND FRAGTE FLÜSTERND DIE CHEFIN: "KANN ICH MAL PIPI..." USW.

H HATTE EINEN ZETTEL VORBEREITET, DEN ICH IHM KURZ ZEIGTE UND DANN ZUSTECKTE. AUF M HATTE ICH ALLES WISSENSWERTE NOTIERT UND AUS DEM GEDÄCHTNIS EIN PORTRÄT VON HOFELD GEZEICHNET. WENN ICH WILL, BIN ICH DARIN RECHT GUT. UNTERZEICHNET HATTE ICH...

...MIT "VIEL GLÜCK". LANGSAM SAGTE ICH MIR NÄMLICH, DASS ER WELCHES BRAUCHEN KÖNNTE.

WAS ER ANSCHLIESSEND GETAN HAT, KANN ICH NUR DANACH REKONSTRUIEREN, WAS LAURA MIR SPÄTER ERZÄHLTE - ODER ERZÄHLEN WOLLTE.

WENN ICH VERSUCHE, MICH IN SEINE DAMALIGE LAGE ZU VERSETZEN, MUSS ICH PFUNDWEISE ASPIRIN SCHLUCKEN.

WIE SOLL MAN SICH AUCH DAS ALLTAGSLEBEN EINES MANNES KLARMACHEN, DER ALLEIN IN DIESER STADT AUSGESETZT WURDE UND NICHT MAL MEHR WEISS, DASS MAN BEI ROT WARTET UND BEI GRÜN ÜBER DIE STRASSE GEHT, DASS EINE BUSFAHRKARTE 25 CENT KOSTET UND DIE OLIVEIRA STREET EINE EINBAHNSTRASSE IST ?

IMMERHIN RANNTE ER SCHNURSTRACKS ZUM "PALISADES" UND FRAGTE NACH MR. LUNDSTROM. EIN TYP, DER SEIT 'NER WOCH NICHTS GETRUNKEN HAT, GUCKT NICHT ER OB IM BIER, DAS MAN IHM HINHÄLT, 'NE FLIEGE SCHWIMMT, ODER ? NATÜRLICH HÄT TEN SIE UND ICH GEWUSST, DASS MR. LUND STROM NICHT MEHR IM MOTEL WAR UND W UNS DEN WEG SPAREN KÖNNEN. SCHLIESS LICH HATTE ER DEN WAGEN ZURÜCKGEGE BEN

MR. EDWIN LUNDSTROM, PALI-SADES MOTEL, 48. STRASSE, TUMAC WELLS.

ABER WEDER SIE NOCH ICH HÄTTEN AUS DEM MUNDE DES LIEBENSWÜRDIGEN BESITZERS ERFAHREN, DASS DIESER DASSELBE ZIMMER FÜR DEN NÄCHSTEN DONNERSTAG RESER-VIERT HATTE.
JA, VORLÄUFIG LIEF ES FÜR MAX EIGENT-LICH NICHT SCHLECHT.

BIS ICH AM BEWUSSTEN DONNERS-TAG LAURA BEIM DURCH-SUCHEN MEI-NER HAND-TASCHE ER-WISCHTE.
WIESO HAT SIE NICHT BIS FREITAG GEWARTET ?

DAS IST SCHOFELD, ODER ? BRAVO, ICH HÄTTE KEINE AHNUNG VON IH-REN DETEKTIVISCHEN TALENTEN, THELMA ! ARBEITEN SIE FÜR MAX ?

ICH ERZÄHLE LIEBER NICHT, WAS ICH VON IHREN TALENTEN HALTE. FALLS SIE DAS ÜBERHAUPT INTERESSIERT.

MEINEN SIE, ICH HÄTTE IHRE KLEINEN TRICKS NICHT DURCHSCHAUT, THELMA ? IHRE VERSCHWÖRERISCHE MIENE, DAS TAXI AN DER STRASSENECKE ? DANKE FÜR DIE INFORMATION !

MIT VERNICHTEN-DEM BLICK VER-WIES SIE MICH AUF DIE BANK DER VERRÄTER AN IHRER SACHE - AUF DER BE-REITS IHRE EL-TERN, DELGADO UND DIE GESAM-TE GESELL-SCHAFT SASSEN-UND SPRANG DANN IN IHREN WAGEN, EHE ICH EINEN TON SAGEN KONNTE.

A, ANFANGS BIN ICH SELBST AUF IHR SPIEL EINGEGANGEN. ICH HATTE IHRE ROMANZE BESCHÜTZT UND HÄTTE VIELLEICHT NOCH WEITERGESPIELT,
ENN ALLES ANDERS GELAUFEN WÄRE, WENN'S NICHT PLÖTZLICH BLAUE BOHNEN GEHAGELT HÄTTE. DA ICH DAMALS ALLERDINGS NICHT
SSEN KONNTE, DASS MAX EBEN AM SELBEN ABEND ZU SCHOFELD GING, HATTE ICH NOCH NICHTS ENTSCHIEDEN. ICH HATTE BLOSS EINE
MMHEIT BEGANGEN, DIE ICH WIEDERGUTMACHEN WOLLTE.

HE, LANZELOT, IST FÜR DICH!

ACH WAS!...RIO...

MIT IHREM VERSCHWINDEN HABEN SIE UNS EINE MENGE SORGEN BEREITET, WISSEN SIE.

WIR MUSSTEN DIESE GAN-ZE VERFLUCHTE STADT DURCHKÄMMEN

UND WER SAGTE, DASS SIE ÜBERHAUPT NOCH HIER WAREN? SCHLIESSLICH HÄTTEN SIE SICH BEI IHREN ALTEN ELTERN AUF DEM LANDE VERSTECKEN KÖNNEN, ODER? SIE HABEN DEN BESTEN WEG GEWÄHLT!

ER MUSS IN EINEM ZUSTAND, DEN ICH ALS UNZURECHNUNGSFÄHIG BEZEICHNEN WÜRDE, AN SCHOFELDS TÜR GEKLOPFT HABEN. VIELLEICHT HATTE ER IHN AUCH EINFACH GEFRAGT: "ENT SCHULDIGUNG, MISTER, KÖNNEN SIE MIR SAGEN, WIE ICH HEISSE?"

CARL HAT SICH UM IHR MOTORRAD GEKÜMMERT. ES ERWARTET SIE.

ANSCHEINEND UNTERHIELTEN SIE SICH REGE, ALS LAURA GEGEN 20 UHR 30 IHREN PONTIAC EIN WENIG WEITER ENTFERNT PARKTE. DA IM GAN-ZEN HOTEL NUR IN NR. 11 LICHT BRANNTE, SPÜRTE SIE DIE BEIDEN PROBLEMLOS AUF.

LAURA KRAMTE DEN REVOLVER HERVOR, DEN SIE AUS DER SAMMLUNG IHRES VATERS STIBITZT HATTE. IMMERHIN VER-BLÜFFTE ES SIE, DASS SCHOFELD IN ALLER RUHE DEN AUF DEM BETT STEHENDEN KOFFER AUSPACKTE, DIE HEMDEN GLATTSTRICH, EHE ER SIE IN DIE SCHUBLADE LEGTE, ALS WÄREN ER UND MAX NOCH VON DER UNI ODER ARMEE HER ALTE ZIMMERKAMERADEN.

SCHOFELD ZOG EIN GESICHT WIE: "HE, KEINE WEIBER IM HINTERZIMMER", WOLLTE ABER BESTIMMT ETWAS GANZ ANDERES SAGEN.

HM, RIO...DAS HÄTTEST DU NICHT TUN SOLLEN.

DOCH BEI MAX' ANBLICK BEGRIFF ER, DASS ALLES GESAGTE NUR "VOX CLAMANS IN DESERTO" GEWESEN WAR, UND SPRACH NUR NOCH MIT SICH SELBER.

NA, NA, MISS, GEBEN SIE DEN MAL LIEBER HER. DANN PASSIERT NICHTS.

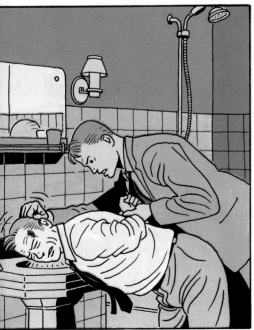

ER BLUTETE ETWAS, ABER NICHT ZU STARK.

MAX... SIEHT AUS, ALS HÄTTE ICH IHN UMGEBRACHT!

DIE GLAUBEN NIEMALS, DASS ER NUR IN DER DUSCHE AUSGERUTSCHT IST!

STAUB TANZTE IM SCHEINWERFERLICHT EINES WAGENS MIT LAUFENDEM MOTOR. IM LICHTKEGEL ERKANNTEN SIE DELGADO. DANN TAUCH EIN ANDERER MANN AUS DEM SCHATTEN AUF.

LAURA, HEILIGER STROHSACK! WAS IST PASSIERT?...

NIMM IHRE REVOLVER, MAX. DA, UNTER DEN JACKEN... GIB MIR DIE WAGEN-SCHLÜSSEL, RAUL!

TU'S NICHT, KLEINE.

"LAURA", SAGTE MAX IM DAVONFLITZENDEN PONTIAC.
"JA?"
"ER WUSSTE, WER ICH BIN."

ANACONDA

NORMALERWEISE SAH
ER FERN, WÄHREND
SIE DEN ABWASCH ER-
LEDIGTE UND DIE
NACHT SICH ÜBER
DAS KLEINE COTTAGE
IN ANACONDA (MON-
TANA) SENKTE. ER
SAH VIEL FERN, VOR
ALLEM KRIEGSFILME.

DU HAST DA
NOCH RASIER-
SCHAUM...

GUTEN MORGEN, MRS. HACKETT!

HELLO, HANK! SCHÖNER
TAG HEUTE, ODER?
LEIDER WERDEN SIE
SCHON KÜRZER.

ABER SIE WER-
DEN SEHEN, AM
ANGENEHMSTEN
SIND UNSERE
INDIANISCHEN
SOMMER...

MIIAUU!

WEISS NICHT, WIE'S IHNEN GEHT, ABER ICH PERSÖNLICH KONNTE ES NOCH NIE ERTRAGEN, ... ZWEIT IN EINER KÜCHE ZU SEIN. VON GÄSTEN, DIE EINEM UNBEDINGT DAS SIEB HALTEN ...LEN, KRIEGE ICH DIE PARKINSONSCHE KRANKHEIT. DAS SCHÄTZE ICH SO AN RAY ...NANA, DASS ER SIE, SOBALD ICH MEINE HANDTASCHE BEI IHM ABGESTELLT HABE, MEI-...T WIE DIE PEST, NICHT MAL MEHR REINKOMMT, UM SICH SEIN ÜBLICHES GLAS MILCH ...TER DIE BINDE ZU KIPPEN.

MIEZ, MIEZ!

MILCH IST SCHLECHT FÜR KATZEN. DAVON KRIEGEN SIE KOLIKEN.

DIESE KATZE NICHT.

...SO LAURA WÜRDE MICH JETZT VERSTEHEN, DENN VORHER HATTE SIE EINE KÜCHE NATÜRLICH HÖCHSTENS MAL BETRETEN, UM MARMELA-...ZU STIBITZEN.
...SIE HATTE DEN ALLZU AUFFÄLLIGEN PONTIAC IN ANAHEIM VERKAUFT UND SICH 500 BUSKILOMETER WEITER EINEN HALB SO TEU-...N FORD ZUGELEGT. SIE HATTE DIE IDEE MIT DER VERZIERUNG DES KOFFERRAUMS GEHABT, DIE IHNEN SOFORT DIE SYMPATHIE DER ...CKETTS, IHRER VERMIETER, EINBRACHTE.

SCHMECKT ES DIR?

SEHR GUT... WAS IST DAS?

EISKALTE FRANKFURTER WÜRSTCHEN MIT ÜBER-BACKENEM BROKKOLI.

DIE HACKETTS HABEN HEUTE IHREN ZAUN GESTRICHEN...

ICH STREICHE IHN MORGEN.

LIEBST DU MICH WIRKLICH?

NATÜRLICH WAREN SIE KEIN ECHTES EHEPAAR. EINEN MANN OHNE NAMEN KANN MAN NICHT HEIRATEN.

HANK, ICH MUSS DIR VIC DOBTCHEFF VOR- STELLEN. HAB IHN GE- STERN EINGESTELLT.

HELLO, HANK.

HELLO, VIC.

DAS HEISST, IN GRAUMANS LADEN, WO ER IM LAGER ARBEITETE, EBENSO WIE FÜR LOU UND GERTIE HACKETT, WAREN SIE EINFACH HANK UND LESLIE RIVERS. WIR WERDEN NOCH SEHEN, OB DIESER NAME MAX ZUFÄLLIG EINGEFALLEN WAR.

VIC ÜBERNIMMT DAS AUSLIE- FERN. ZEIGEN SIE IHM DEN GANZEN PAPIERKRAM... WO ALLES STEHT!

WARUM MUSSTEST DU EIGENTLICH NACH NOR- DEN FAHREN? WESHALB SIND WIR HERGEKOM- MEN? WAS GIBT'S HIER?

VIELLEICHT NICHTS. DAS HAUS WAR EBEN BEIM MAKLER IN BUTTE ZU VERMIETEN. ES STEHT WEITER NÖRDLICH.

ABER WARUM GERADE DIESES? DAS IN OTELLO GEFIEL UNS BESSER.

WEIL DAS HIER IN ANACONDA STEHT.

VIELEN DANK, ICH WEISS, DASS WIR IN ANACONDA SIND! ...KOMM, LASS UNS REIN GEHEN, ES IST KALT.

BIN GLEICH FERTIG... DAS WOLLTE ICH DAMIT NICHT SAGEN: ALS DER MAKLER DIESEN NAMEN NANNTE, KAM ER MIR GLEICH BEKANNT VOR.

ANACONDA ERINNERTE MICH AN ETWAS, WAS ICH TUN MUSSTE. ANACONDA, FAHREN... AUTO-FAHREN VERMISSE ICH...

WO SOLL ICH DAS HIN-STELLEN, MRS. RIVERS?

SO. BITTE DA UNTERSCHREIBEN...

ALSO, BIS NÄCHSTEN DONNERSTAG. RUFEN SIE MICH RUHIG, FALLS SIE DAS SALZ VERGESSEN HABEN!

...K NAHM MÖGLICHST SELTEN DEN FORD, DA ER KEINE PAPIERE BESASS. ALSO HOLTE SIE IHN GEWÖHNLICH VON DER ARBEIT AB. IN EINIGEN JAHREN ...RDE ER IHR EIN STADTAUTO UND SICH SELBST EIN SPORTCOUPÉ KAUFEN. DAS HEISST, WENN IHRE FLUCHT ALS "TRAGISCHES LIEBESPAAR", ...E FLITTERWOCHEN ALS FLEISSIGE EHELEUTE MIT EINEM HAUCH ERZWUNGENER INTIMITÄT, DRÖHNENDER WASSERLEITUNGEN UND BE-...ENZTER ERWARTUNGEN KEIN PLÖTZLICHES ENDE NÄHMEN.

DA KRIEGEN SIE IHN ZURÜCK! ...UND WIE GEHT'S IHREM ASTHMA? BEI DER FRISCHEN LUFT HIER...? BESSER?

SIND SIE AN DER MINE VORBEI-GEKOMMEN? SCHEINT DORT RUNDZUGEHEN... HOFFENTLICH IST ZUM RODEO ALLES KLAR!

RÜCK MAL.

DOBTCHEFF GEFÄLLT MIR NICHT. DER SIEHT MICH AN, ALS WÄREN WIR GUTE ALTE FREUNDE.

ICH WEISS.

DU FÄHRST ZU SCHNELL!

JA, ICH MAG DAS. HAST DU ANGST

ICH HAB KEINE ANGST, ABER WAS WILLST DU DEM SHERIFF ALS FÜHRERSCHEIN VORLEGEN, WENN ER DICH ANHÄLT?...

"UND DU? DEN VON LAURA LINELL?" HÄTTE ER ANT-WORTEN KÖNNEN.

ALS ICH SIE SPÄTER WIEDER-SAH, HATTE SIE SICH VERÄN-DERT; UND ICH GLAUBE, IHR GEFIEDER BEGANN ETWA ZU DEM ZEITPUNKT AN GLANZ ZU VERLIEREN. JEDER ANDERE WÜRDE SA-GEN, DASS SIE ENDLICH ER-WACHSEN WURDE, ABER GLAUBEN SIE NICHT, DASS THELMA SO SIMPLE AUF-FASSUNGEN VERTRITT. MIT MEINEN 49 JÄHRCHEN WEISS ICH IMMER NOCH NICHT GENAU, OB ICH'S BIN.

EINES ABENDS KAM ER WEGEN EINER INVENTUR SPÄTER HEIM.

HELLO, HANK! HARTEN TAG GEHABT?

ÜBRIGENS, HAST DU DIE SCHWARZE KATZE GESEHEN?

NEIN, SIE IST VERSCHWUNDEN.

DU HAST IHR ZU FRESSEN GEGEBEN, WAS?...ICH HAB SIE ALS ZIELSCHEIBE BE- NUTZT. JEDEM SEIN PLÄSIERCHEN, GELLE?

DER FORD 32 DA...IST DAS EIN HOT-ROD?

JA, EINE JUGENDSÜNDE. HAB FAST AL- LES SELBER GEMACHT, WEISST DU, EI- NEN "289 ER HI-PO" UND 'NEN HOLLEY- VERGASER. INTERESSIERT ER DICH?

HAB MICH MAL DAMIT BESCHÄFTIGT.

WILLST DU IHN MAL CHECKEN?

WARUM NICHT, IRGENDWANN MAL?

WAS MACHST DU DA?

ICH VERPASSE MIR EINEN HAARSCHNITT, DER ZU DIESEM HAUS PASST. FINDSTE NICHT, DASS MEINE FRISUR KOMISCH WIRKTE FÜR'NE ARBEITERFRAU?

ICH HAB MIR EINE SELFMADE-DAUERWELLE GELEISTET.

MEIN GOTT, SO WAS BLÖDES.

DU MAGST ES WIRKLICH, DICH ZU VERKLEIDEN!

DAS GEFÄLLT DIR, WAS? WÄSCHE AUFHÄNGEN, DIE VORHÄNGE ABSTAUBEN, DEN KALENDER DER MÜLLABFUHR EINRAHMEN UND DIE SCHÜRZE DEN GANZEN VERFLUCHTEN TAG LANG ANBEHALTEN. DAS GEFÄLLT DIR WOHL, LAURA LINELL, UND DANN NOCH GEIZIG WIE EIN SCHOTTE... HÄTTEST WENIGSTENS ZUM FRISÖR GEHEN KÖNNEN...

TOCK TOCK TOCK

OH, DAS STEHT DIR GUT, DARLING!

WIRKLICH, SEHR SCHICK. LANG MACHTE DICH ÄLTER, ICH WOLLT'S JA NICHT SAGEN... ICH BRINGE EUCH EIN PAAR PFANNKUCHEN. DIE MUSST DU NUR NOCH FLAMBIEREN! SICHER HAST DU IRGENDWO EIN RESTCHEN BRANDY?

SIEHST DU, GERTIE FINDET MICH HÜBSCH SO!

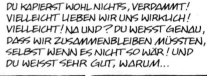
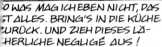
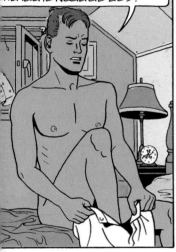

NANU...HAT MAN SIE NICHT UMGEBRACHT?

NEIN, NEIN!...ABER WIR FANDEN ES UNNÖTIG, IHNEN DAS MITZUTEILEN.

WER WIR? DAS FBI. LEIDE HAT SIE DAS NICHT ZU EINER UNVORSICHTIG KEIT VERANLASST, WIE WIR HOFF TEN... GEGEN DIE KLEINE LINELL LIEGT NICHTS VOR. WISSEN SIE, MRS. RITTER, ICH MUSS SIE BITTEN, MIR ZU HELFEN...

AH, ICH WERD NICHT MEHR! HÄTTE NIE GEDACHT, DASS DER MEINEN GTO ABHÄNGT!

DAS MACHT DIE SCHALTUNG. DIE IST PHANTASTISCH KONSTRUIERT. MIT DER VERZÖGERUNG DEINER AUTOMATIK HATTEST DU KEINE CHANC

ERINNERT DICH DAS NICHT AN WAS, HANK?... EINE ANDERE MINE?

IN DER MINE GEHT'S HOCH HER...

ANACONDA...

40

AN JENEM
ABEND
KEHRTE ER
ZUR ÜB-
LICHEN ZEIT
HEIM INS
LIEBESNEST,
VIELLEICHT
EIN KLEINES
BISSCHEN
FRÜHER,
ABER INNER-
LICH EXPLO-
DIEREND,
WEIL ER SICH
BIS FEIER-
ABEND
HATTE BE-
HERRSCHEN
MÜSSEN.

LAURA...

WIR MÜSSEN FORT.
WEGEN VIC...

VIC...!?

ER IST NICHT ZUFÄLLIG HIER...
ER IST HINTER UNS HER.

ICH WEISS, WESWEGEN WIR HERGEKOMMEN SIND, WAS "ANACONDA" FÜR
MICH BEDEUTET! DAS WAR DER KODENAME EINER "OPERATION"...

KURZ VOR MITTERNACHT DURCHQUERTEN SIE DIE STADT RICHTUNG
NORDEN, EINE UHRZEIT, ZU DER IN ANACONDA NACH ANSICHT DES
SHERIFFS NUR HÜHNERDIEBE UND GESPENSTER GRUND HATTEN,
DRAUSSEN HERUMZUSTROLCHEN.

ZUM GLÜCK HATTEN SIE VIERZEHN TAGE VORHER EINEN KOFFER GEKAUFT. SO KONNTEN SIE IHRE ZAHNBÜRSTEN MITNEHMEN.

41

THOMPSON FALLS

ALSO WAREN SIE WIEDER UNTERWEGS, IMMER NOCH NICHT WISSEND, WOVOR SIE FLOHEN - DEM ENDE DES SOMMERS, DEM BEQUEMEN LEBEN, PRÄZISIONSGEWEHREN -, EIN UNGLEICHES PÄRCHEN IN EINEM ALTEN FORD, MIT HINTEN ANGEBUNDENEN KONSERVENDOSEN, UNTER EINEM MOND, SILBERNE WELLEN INS GRAS DER NORDWESTLICHEN PRÄRIEN ZAUBERTE. UND ICH DISKUTIERTE IM HAUSEINGANG MIT EINEM MANN, FRISIERT 'N OSTEREI, DER VERSUCHTE, MIR ZU BEWEISEN, DASS ER WIRKLICH FBI-AGENT WAR, WIE ER BEHAUPTETE.

AS LETZTE MAL KÜMMERTEN SIE SICH ANGEBLICH UM CHWIMMBÄDER FÜR DIE DESMOND BROTHERS. WENN ICH NEN JETZT GLAUBEN SOLL, MÜSSEN SIE SCHON WAS BERZEUGENDERES BIETEN ALS EINE VISITENKARTE, R. SCHOFELD... SCHOFELD ODER LUNDSTROM?

LUNDSTROM.

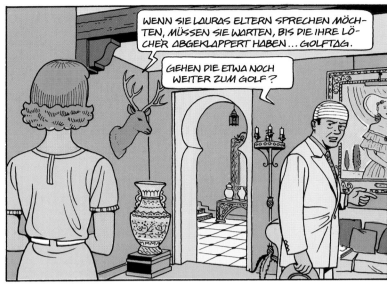

WENN SIE LAURAS ELTERN SPRECHEN MÖCHTEN, MÜSSEN SIE WARTEN, BIS DIE IHRE LÖCHER ABGEKLAPPERT HABEN... GOLFTAG.

GEHEN DIE ETWA NOCH WEITER ZUM GOLF?

BOT TATSÄCHLICH EINIGES: VISITENKARTE, POLIZEIMARKE, FÜHRER-EIN... ER HÄTTE AUCH NOCH LOHNZETTEL UND DAS MILITÄRBUCH SGEKRAMT, FALLS ICH WEITERHIN DEN GERINGSTEN ZWEIFEL ÄUSSERT HÄTTE. ABER ICH WINKTE AB. ER WAR EINER, ZWEIFELLOS. LS GUTE BÜRGERIN FÜHRTE ICH IHN IN DEN SALON. KOMISCH 'NEN BULLEN WAR NUR, DASS ER UNRUHIG WIRKTE. UNRUHIG D BESORGT.

ABER NEIN, ER WOLLTE ZU MIR, STELLEN SIE SICH VOR.

ER HAT MICH DOCH MIT IH-RER HILFE GEFUNDEN, HM?

ICH WIES IHN DAR-AUF HIN, DASS ICH MIR NICHT SOLCHE MÜHE HÄTTE GEBEN MÜSSEN, WENN ER SICH GLEICH DAS ER-STE MAL VER-NÜNFTIG VORGE-STELLT HÄTTE.

ER WAR NICHT BE-REIT. MAN MUSSTE IHM ZEIT LASSEN.

ABER NACHDEM DER AR-ME ARMAND AN SEINER STELLE HOPSGEGAN-GEN WAR, WAR ER REIF?

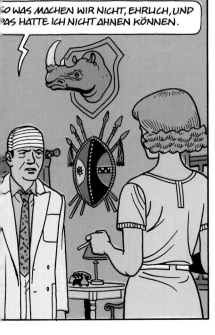

SO WAS MACHEN WIR NICHT, EHRLICH, UND AS HATTE ICH NICHT AHNEN KÖNNEN.

VERDAMMT! HATTE ER SEINE MIESE KOMÖDIE ETWA AB-SICHTLICH SCHLECHT GESPIELT UND EXTRA EINE HEISSE SPUR HIN-TERLASSEN?... GERADE GENUG FÜR MEINE DETEKTIVI-SCHEN TALENTE, SAGTE ICH MIR. KOMISCHE METHODEN IMMER-HIN.

SIE WISSEN, WER ER IST, NICHT WAHR?

JA. ER IST IN ETWAS SEHR ERNSTES VER-WICKELT UND WIRD DIE JUNGE LINELL MIT HINEINZIEHEN. ETWAS, WAS WICHTIGER IST ALS DIESES HAUS, DIESE STRASSE ODER DIE-SE STADT. ICH MUSS IHN KRIEGEN, EHE ES ZU SPÄT IST... WÄRE BESSER FÜR DAS MÄDCHEN. WERDEN SIE MIR HELFEN? WISSEN SIE, WO ER IST?

ICH HAB DER POLIZEI ALLES ZWANZIGMAL ERZÄHLT. UND LAURA HAT MIR NOCH KEINE POSTKARTE GESCHICKT, WENN SIE DAS MEINEN.

IRGENDWANN WIRD SIE'S TUN. HIER IST EINE TELEFONNUMMER, UNTER DER SIE MICH JEDERZEIT ERREICHEN KÖNNEN. AUF WIEDERSEHEN.

ALS ER SICH BEIM HINAUSGEHEN DEN HUT AUF DEN VERBAND DRÜCKTE, RIEF ICH IHN ZURÜCK:

WISSEN SIE, DASS ER SICH AN NICHTS ERINNERT? AMNESIE.

ICH KANN NICHT SAGEN, OB ER'S SCHON WUSSTE ODER MIR GLAUBTE, WÄHREND ER MICH MIT EINER MIENE ANSAH, ALS WÜRDE ER IN DER HO SENTASCHE AN 'NEM IGEL RUMFUMMELN.
"DAS MACHT ALLES NUR KOMPLIZIERTER", SAGTE ER UND GING.

GROSSE SPRÜCHE KLOPFEN KANN JEDER. ABGESEHEN DAVON HATTE ER MIR NICHT VIEL GEBOTEN. ABER WENN WIR RAUSKRIEGEN WÜRDEN, WO AN ER ARBEITETE, WÜRDEN WIR ZWEIFELLOS ENTDECKEN, IN WELCHE MIESE GESCHICHTE MAX UND LAURA REINGERASSELT WAREN, VERSUCHTE ICH DELGADO AM SELBEN ABEND IM "ROSA FLAMINGO" KLARZUMACHEN. ER WAR FAST EIN FREUND DER FAMILIE. EIN ANRUF, UND ER KAM SOFORT AUF EIN GLÄSCHEN VORBEI.

WISSEN SIE, WER LUNDSTROM IST, THELMA? FBI!

WEISS ICH. WOLLTE IHM SCHON MIT DER BRATPFANNE 'NE ZWEITE BEULE VERPASSEN. ER KONNTE SEINE KARTE NOCH RECHTZEITIG ZÜCKEN.

ICH SPIELTE DIE DUMME, UM ZU SEHEN, OB ER MIR WEITERHELFEN WÜRDE. WISSEN SIE, DIESER BULLE VERTRAUTE MIR ZWAR, ABER WEGEN LAURA UND MIR BEKAM ER DAUERND VON SEINEM CHEF DEN KOPF GEWASCHEN. GENAU DESWEGEN HATTE ER SICH ÜBRIGENS GEHÜTET, MIR ZU SAGEN, DASS LUNDSTROM LEBTE. HOFFENTLICH HATTE ER ES WENIGSTENS DEN LINELLS ERZÄHLT.

GLAUBEN SIE ETWA, ICH WÜRDE WEGEN IHRER HÜBSCHEN AUGEN HINTERM FBI HERSCHNÜFFELN? AUSSERDEM HABEN DIE DEN FALL ÜBERNOMMEN. WIR SIND DRAUSSEN

NA, ICH GEB IHNEN MEINE HASENPFOTE...

WAR NETT VON IHM, VON MEINEN AUGEN ZU REDEN, WO ER DOCH IN DIE LAURAS GEPLUMPST WAR, WIE IN EINEN BERGSEE.

SIE SIND IN SIE VERKNALLT, ODER? GEBEN SIE'S ZU.

SAGEN SIE... ICH DACHTE, DIE JUNGS VOM FBI WÜRDEN IMMER ZU ZWEIT AUFTAUCHEN, WIE ARSCH UND HOSE... FINDEN SIE'S NICHT KOMISCH, DASS LUNDSTROM IMMER ALLEINE RUMSPAZIERT?

ICH MUSS RAUS, GEFREI-
TER ! LASS MICH RAUS.

VERSUCHEN SIE'S,
KORPORAL !

WAS NICHT IN ORD-
NUNG, KORPORAL ?

HHHNNN...!

FRAG MAL BEIM EMPFANG, OB
DIE EINE KARTE VON DER GE-
GEND BIS ZUR GRENZE HABEN.

SUCHST DU EINE PASS-STRASSE?

NEIN. ICH SUCHE EINEN SEE.

ICH HABE MEHRMALS VON EINEM SEE GETRÄUMT. ICH ALS KIND, AM SEEUFER IN DEN BERGEN.

DER MIT DEM ANGELNDEN MANN?

JA. MEINE TRÄUME ERINNERN SICH BESSER ALS ICH. SUCHEN WIR IHN.

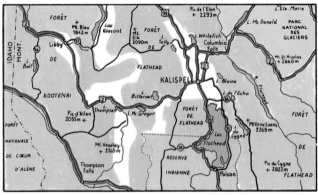

AM 31. AUGUST VERLIESSEN SIE DEN HIGHWAY 90 UND FUHREN RICHTUNG NORDEN, QUER DURCHS INDIANERRESERVAT BIS ZUM FLATHEAD LAKE. AM 1. SEPTEMBER KAMEN SIE AM SWAN LAKE, AM ECHO LAKE UND AM BLAINE LAKE VORBEI. AM 2. FUHREN SIE BIS ZUM MC DONALD LAKE IM GLETSCHERPARK HINAUF UND BOGEN DANN NACH WESTEN AB, ZUM WHITEFISH LAKE.

AM 3. BESICHTIGTEN SIE DEN BITTEROOT UND DEN MC GREGOR LAKE BEI KALISPELL. AM 4. DEN THOMPSON LAKE. DER WAR'S.

N ERINNERE MICH...

ES WAR MEIN ONKEL JOE. ER FUHR EINEN GRÜNEN OLDSMOBILE, WIE DER VON SCHOFELD. ICH SPIELTE AUF DEM FAHRERSITZ UND HAB DIE HANDBREMSE GELÖST. DER WAGEN ROLLTE ZURÜCK UND STIESS IHN IN DEN SEE. ER IST ERTRUNKEN.

DENK WEITER NACH...

ER HATTE EIN PFERD, EINEN APPALOOSA. AUF DEM HAB ICH REITEN GELERNT.

IN DER NÄHE DES SEES GIBT ES NUR ZWEI STÄDTE. LIBBY UND THOMPSON FALLS. ERINNERST DU DICH, WO DU GEWOHNT HAST?

NEIN. VIELLEICHT THOMPSON FALLS...

...PA WAR EIN KLEINES MÄDCHEN MIT ZÖPFEN...EIN BENGEL HAT SIE ZUFÄLLIG MIT DEM STOCK ENTJUNGFERT.

SCHRECKLICH!!

ICH ERINNERE MICH NUR AN SCHRECKLICHE DINGE...

KÜSS MICH.

AM BESTEN GEHEN WIR ZU DIESER ZEITUNG UND SUCHEN IN DEREN ARCHIV, MAX! DER UNFALL DEINES ONKELS HAT IN DIESEM KAFF SICHER SCHLAGZEILEN GEMACHT!

BEI DER ZWEITEN KREUZUNG RECHTS, WIR SIND NAH DRAN, MAX!

WIR HÄTTEN GERNE DIE SAMMELBÄNDE DER JAHRE 66 BIS 68, SIR.

MANN! DAS SIND 24 BÄNDE. AM BESTEN SEHEN SIE ERST IM KARTEIKASTEN NACH. WAS SUCHEN SIE DENN?

EINEN UNFALL. EIN ERTRUNKENER IM THOMPSON LAKE.

ICH SUCHE IHNEN DIE KARTEN "UNFÄLLE IM DISTRIKT" RAUS. SELBST SO WERDEN SIE DEN GANZEN TAG BRAUCHEN.

WIR HABEN ZEIT. ALLE ZEIT DER WELT.

MATT...?
MATT MURPHY!

VERZEIHUNG?
DU ERKENNST MICH NICHT, WAS? ICH BIN MRS. CODY! DU WARST VON 65 BIS 67 IN MEINER KLASSE! BIST DU GEWACHSEN! ABER ABGESEHEN DAVON HAST DU DICH NICHT VERÄNDERT!

ICH SCHON, NICHT WAHR?

OH, MRS. CODY, NATÜRLICH! ENTSCHULDIGEN SIE...

KEIN GRUND, SICH ZU ENTSCHULDIGEN. ICH HABE 15 KILO ABGENOMMEN, SEIT BURT MICH VERLASSEN HAT... WUNDERBAR, DICH WIEDERZUSEHEN. WIR WAREN ALLE TRAURIG, ALS DEINE FAMILIE NACH PORTLAND ZOG!

MATT WOLLTE MIR SEIN ELTERNHAUS ZEIGEN. WIR SIND FRISCH VERHEIRATET. WIR FINDEN'S NUR NICHT...ALLES IST SO VERÄNDERT...

ABER IHR KÖNNT JEDEN IN DER STADT FRAGEN. NATÜRLICH ERINNERN SICH NOCH ALLE AN DEINEN VATER, MATT. AN IHN UND SEINE GELBEN LASTWAGEN. DIE MURPHY TRUCKING COMPANY! KOMMT, ICH ZEIGE ES EUCH.

ICH HAB VON DIESEM SCHRECKLICHEN AUTOUNFALL ERFAHREN. WIE TRAURIG, MEIN ARMER MATT. MAN ERZÄHLTE MIR, DU SEIST GLEICH NACH IHREM TOD IN DIE ARMEE EINGETRETEN. ACH, JA...

WEISST DU, DASS NANCY IMMER NOCH HIER WOHNT? SIE HAT JAKE BISHOP GEHEIRATET UND HAT ZWEI UNERTRÄGLICHE GÖREN! SIE HÄTTE BESSER BEI DIR BLEIBEN SOLLEN.

JA, ICH HABE JETZT AUCH EINE SPEDITION. IM MOMENT SIND WIR AUF HOCHZEITSREISE.

...UND ICH WETTE, DEINE LASTWAGEN SIND...

GELB.

WUNDERBAR!

DA IST ES...ERINNERST DU DICH?

NATÜRLICH...

WAS GIBT'S?

ENTSCHULDIGEN SIE, ICH BIN MATT MURPHY. ICH WOLLTE...

AH, DER SOHN VON SEAN MURPHY, DEM STREIKBRECHER!

ICH HAB NICHTS GEGEN DICH, JUNGE... ABER ICH HAB DIESES HAUS LEGAL GEKAUFT UND DULDE KEINEN MURPHY AUF MEINEM RASEN!

SO EIN FLEGEL!

LASS NUR... WO IST MRS. CODY.

SIE SAGTE, SIE WÜRDE ALLEINE HEIMGEHEN... MAX!!

ER HAT UNS SCHON GESEHEN.

SIND SIE UNS GEFOLGT?

VIELLEICHT WUSSTEN SIE, DASS WIR HERKOMMEN. ICH GLAUBE, DIE WISSEN ALLES!

ABER SIE ZEIGEN SICH UND VERSTECKEN SICH NICHT! WIESO VERSTECKEN SIE SICH NICHT? SIE MÜSSTEN DOCH AUFPASSEN!

WIR MÜSSEN ABHAUEN, MAX! BITTE!

NEIN. EGAL. MEINE ERINNERUNG KEHRT JETZT SO RASCH ZURÜCK... ICH BLEIBE.

ANDERSWO FINDEN SIE UNS SOWIESO SOFORT WIEDER. DIESE HINTERWÄLDLER MIT IHREN BERGEN HÄNGEN MIR LANGSAM ZUM HALS RAUS!

ICH SAGTE, WIR BLEIBEN!

ICH WILL MIR DIESE STADT ANSEHEN, BIS ICH SIE NICHT MEHR BRAUCHE.

HELLO, NANCY!

... MATT!

53

MATT...ICH...SO EINE ÜBERRASCHUNG! WENN ICH DAS GEAHNT HÄTTE...

WILLST DU ETWA BEHAUPTEN, MRS. CODY HÄTTE DIR NICHT BESCHEID GESAGT?

ICH SEH MAL IM STANDESREGISTER VOM RAT-HAUS NACH. WARTEST DU HIER AUF MICH?

HELLO!

ALS LAURA DAS STANDESAMT VER-LIESS, STAND ER NOCH DORT, WO SIE IHN VERLASSEN HATTE. SIE BETRACH-TETE IHN UND SAH PLÖTZLICH NICHT MEHR DAS KIND-LICHE GESICHT, DAS SIE IMMER AN IHM GEKANNT HATTE. EIN MANN, DER NICHT MEHR NUR FÜR SIE GEBOREN WORDEN WAR, NOCH DAZU PRAK-TISCH EIN FREMDER.

ER WAR 29 JAHRE ALT, EINE NARBE HINTERM OHR, MANCHMAL EINE FALTE ZWISCHEN DEN AU-GENBRAUEN, UND SIE FRAGTE SICH, WAR-UM SIE VORHER NIE GE-SPÜRT HATTE, WIE RAUH SEIN KÖRPER WAR.

GUTEN TAG, ICH MÖCHTE BITTE IN-SPEKTOR DELGADO SPRECHEN.

RAUL... ICH BIN'S...

...LAURA.

LAURA!?!...VERDAMMT NOCH MAL, WO BIST DU?

WIR SIND IN SEINER GE-BURTSSTADT. WIR HABEN SEINE LEHRERIN GEFUN-DEN, SEIN HAUS...

...SEINE FREUNDIN...UND SEINEN NAMEN. ALLES!...

LAURA, WIE HEISST DIESE STADT?

...ER MACHT MIR ANGST. NA JA, ER SELBST VIELLEICHT NICHT, ABER...AL-LES IST SO KOMISCH...EIN WAGEN VER-FOLGT UNS...EIN BLAUER DODGE, 64ER MODELL...UND ICH HABE IM STANDESREGISTER NACHGESCHAUT...

RAUL!... ER IST TOT!!!

DIESMAL GELANG ES DELGADO, DAS NOTIZ-BUCH FEST-ZUHALTEN, EHE ES IHM WIE EIN STÜCK SEIFE AUS DEN FEUCHTEN HÄNDEN GLITSCHTE. SEIN ANZUG WAR MIT BROT-KRÜMELN UND PASTRAMI-RESTEN ÜBERSÄT.

DEM REGISTER ZUFOLGE IST ER SEIT SECHS MONATEN TOT!

...LAURA! WIE HEISST DIESE STADT?!?

THOMPSON FALLS, IN MONTANA...SEIN NAME WAR MATT MURPHY.

...LAURA...LAURA, BIST DU NOCH DRAN?

HÖR ZU, LAURA!! GIB MIR ZWEI STUNDEN! VERSUCH IHN FESTZUHALTEN. ERFINDE IRGENDWAS...WIR WOLLEN IHM NICHTS TUN, WEISST DU...

MAX...DOBTCHEFFS WAGEN! DA, AUF DER ANDEREN STRASSENSEITE...ICH HABE ANGST, MAX!

WAS HAST DU IHM ERZÄHLT? WAS HAST DU IHM GENAU ERZÄHLT?

DIE SONNE GING ZU[...]RER RECHTEN UNTE[...] UND LAURA HATTE D[...] HAND ÜBER DIE AUG[...] GELEGT, UM NICHT G[...] BLENDET ZU WERDE[...] MAX'STIMME ZITTER[...] EIN WENIG, ALS WÜR[...] ER ETWAS UNTER- DRÜCKEN.

DIESES ETWAS WA[...] NICHT ETWA ZORN, SONDERN EINE NEUE[...] KRAFT, DIE ER AUS DE[...] GEWISSHEIT SCHÖPF[...] TE, ENDLICH AUF DE[...] RICHTIGEN WEG ZU SEIN. DIE REIFEN DE[...] WIE EIN SCHNELLZU[...] DAVONBRAUSENDEN CHEVROLETS SUMMT[...] ÜBER DEN ASPHALT.

EIN GEHEIMNISVOLLER WAGEN, DER UNS AUF DER PELLE HOCKT, REICHT, DAMIT DU DURCHDREHST, JA? SCHON GENUG GESPIELT? WIESO HAST DU MICH DANN NICHT SAUSEN LASSEN, ALS WIR SCHO- FELD UMGEBRACHT HABEN? WAR ALLES ROMANTISCHER, WIE?

OHNE DIE HAND VON DEN AUGEN ZU NEHMEN, AUF DEM SITZ ZU- SAMMENGEKAUERT WIE EIN AUS DEM WASSER GEZOGE- NER KÖTER, SAGTE LAURA ENDLICH:
"ICH HABE DAS STANDESREGI- STER GESEHEN. DEMNACH BIST DU VOR SECHS MONATEN GESTORBEN."
ER WENDETE DEN BLICK NICHT VON DER STRASSE.
"NANU...VOR SECHS MONATEN? IST JA INTERESSANT. VOR SECHS MONATEN WAR ICH IN DER ARMEE!...JA, DARAN HAB ICH MICH AUCH ERINNERT."

...IN EINEM STÜTZPUNKT IN NEVADA. DORT- HIN FAHREN WIR. WILLST DU IHN WIEDER ANRUFEN, UM IHM AUCH DAS ZU SAGEN?

ENDLICH ENTSCHLOSS SIE SICH, DIE HAND RUNTERZU- NEHMEN UND IHN ANZU- SEHEN.
"JA, ICH HABE ANGST. ICH HAB JETZT DEN EINDRUCK, DICH NIE GEKANNT ZU HABEN."
"ACH JA? GERADE DAS GE- FIEL DIR DOCH. KENNST DU DAS LIED?...SIE GEHT WIE EINE FRAU, SIE REDET WIE EINE FRAU...SIE LIEBT... GENAU WIE EINE FRAU..."

"...ABER SIE WEINT WIE EIN KLEINES MÄDCHEN."

ER SCHAUTE WIEDER IN DEN RÜCKSPIEGEL UND SAGTE:
"SIE SIND IMMER NOCH DA. SIE HALTEN ABSTAND. SIE WARTEN, BIS ICH REIF BIN, SIEHST DU."

YUCCA FLATS

LGADO HATTE IHR NOCH SAGEN WOLLEN, DASS SCHOFELD LEBTE, DASS SIE KEINEN UMGEBRACHT
TTEN UND DASS SICH ALLES EINRENKEN LIESS, ABER SO EINFACH WAR DAS NICHT. ER HÄTTE
HNELL SPRECHEN MÜSSEN. AUSSERDEM WAR AM ANDEREN ENDE DER LEITUNG NUR NOCH
HWACHER STRASSENLÄRM ZU HÖREN.

WAR DAS DIE KLEINE LINELL?

JA.

WIR SOLLTEN BESSER ZUM CAPTAIN GEHEN.

IN MONTANA...WIESO NICHT? DANKE, DEL-GADO. ICH SAG DEM FBI BESCHEID.

BENACHRICHTIGEN SIE NICHT DIE ÖRTLICHE POLIZEI?...

UND DAS MÄDCHEN...?

SIE WISSEN GENAU, DASS DIESER FALL UNS NICHTS ANGEHT, INSPEKTOR. DAS MÄDCHEN...ICH HOFFE, SIE KOMMT DA-VON. SIE HAT AUFS FAL-SCHE PFERD GESETZT.

DARAN HÄTTE SIE VORHER DENKEN SOLLEN.

DIE WOLLEN IHN WIRKLICH, WAS...?

ICH BIN SICHER, SIE HA-BEN EINE MENGE AR-BEIT, DELGADO.

ES IST NUR...

NICHTS...

JA, WIR HÄTTEN GERNE EIN PAAR AUSKÜNF-TE ÜBER EINEN GEWISSEN MATT MURPHY, IN IHREM BEZIRK GEBOREN. WAS HAT ER IN DEN LETZTEN JAHREN GEMACHT?

HOLLA! IHR GROSS-STADTBULLEN SEID ECHT VON DER SCHNELLEN SORTE! ALLE ACHTUNG!

WIE BITTE?

IST 'NE KOMISCHE GESCHICHTE. ES GIBT HIER ZWEI PERSONEN, DIE IHN DAMALS GUT GEKANNT HABEN – ICH BIN ERST SEIT EINEM JAHR HIER –, DIE SCHWÖREN, MATT MURPHY ERST HEUTE MITTAG GESPROCHEN ZU HABEN. ABER ICH SAGE: JEMANDEN, DER SICH FÜR MATT MURPHY AUSGAB...

...WEIL ER NACH MEINEN UNTERLAGEN IM FEBRUAR GESTORBEN IST. DAS WEISS SONST KEINER.

EBEN. WISSEN SIE, WO UND WIE?

DAS WAR NICHT IN MEINEM BEZIRK, ABER MEINEN INFORMATIONEN ZUFOLGE IST ER BEI 'NER TRUPPENÜBUNG VERUNGLÜCKT. ER WAR KORPORAL IM STÜTZPUNKT VON... MOMENT... AH, DA STEHT'S... VON YUCCA FLATS, NEVADA.

IST NOTIERT, DANKE. UND DIESER FALSCHE MURPHY?

KAM GEGEN MITTAG IN EINEM ORANGEN NOMAD CHEVROLET AN. WEIL DER WAGEN NICHT VON HIER WAR, HAB ICH IHN IM AUGE BEHALTEN. SIE SIND RICHTUNG SÜDEN WEITERGEFAHREN.

ABER WAS SOLL'S... IHR MANN IST DAS JA NICHT!

NEIN, NATÜRLICH NICHT.

LAURA VERSTAND NICHT, WIESO ALL DAS KEINEN GRÖSSEREN EINDRUCK AUF MAX MACHTE. DOBTCHEFF SPIELTE KATZ UND MAUS MIT IHNEN, ER HATTE SOEBEN ERFAHREN, DASS ER EIN LEBENDER TOTER WAR UND STEUERTE SO FRÖHLICH, ALS WÜRDEN SIE ZUM PICKNICK FAHREN.

WAS HAST DU DA VOR DICH HINGEPFIFFEN?

SORRY, ICH HAB NICHT GEPFIFFEN.

ABER SIE WOLLTE IHN NICHT NACH DEM GRUND FRAGEN. IHR WAR KLAR, WIE SEHR SIE DIE INITIATIVE VERLOREN HATTE. AUF IHRE KOSTEN HATTE ER SEINE PERSÖNLICHKEIT WIEDERAUFGEBAUT. ER HATTE SICH VON IHRER ENERGIE ERNÄHRT. SIE WOLLTE SICH NICHT NOCH SCHWÄCHER ZEIGEN, INDEM SIE IHN TÖRICHT AUSFRAGTE.

ERINNERST DU DICH, DASS ICH SAGTE, AUTOFAHREN WÜRDE MIR FEHLEN? ICH GLAUBE, ICH WAR RENNFAHRER. MAN NANNTE MICH RIO. AUTOS UND AUCH MOTORRÄDER. SCHOFELD HAT DAVON GESPROCHEN.

ICH KANN EINIGES MIT EINEM WAGEN ANSTELLEN. WILLST DU 'NE KOSTPROBE?

WOW! MIT SO 'NER LAHMEN KARRE IST ES NICHT LEICHT, ABER SO WAS VERGISST MAN NICHT!

DU VERSUCHST DOCH NICHT ETWA, MIR ANGST ZU MACHEN?

NEIN, DIR NICHT!...DAS IST SOWIESO NICHT WIRKLICH GEFÄHRLICH, WEISST DU?

IMMERHIN HABEN WIR SIE ABGEHÄNGT. SIE SIND NICHT ZU SEHEN.

DESWEGEN HAB ICH'S NICHT GETAN. NUR ZUM VERGNÜGEN.

WENN SIE DENKEN, WIR WÜRDEN IRGENDWO ÜBERNACHTEN, SUCHEN SIE UNS IN DEN MOTELS AN DER STRASSE. ABER ICH BEZWEIFLE, DASS SIE HIERHERKOMMEN. DAS CAMP WAR AN DER ABZWEIGUNG NICHT MAL AUSGESCHILDERT.

KANN MAN HIER ETWAS ZU ESSEN KRIEGEN, MISTER?

OH, YEAH. TRIXIE KANN IHNEN EIN PAAR SANDWICHES SCHMIEREN!

SCHÖN, DASS DU NICHT PROBIERT HAST, MIR ANGST EINZUJAGEN. ICH HATTE SCHON BEFÜRCHTET, DU WÜRDEST DIR EIN FALSCHES BILD VON MIR MACHEN. BIN ICH DEINE GEFANGENE?

VERSUCH ABZUHAUEN, DANN WIRST DU JA SEHEN. WARUM SCHMINKST DU DICH?

UM MEINEN WÄRTER ZU BECIRCEN, DARUM!

LENNY?…HIER DELGADO. ÄH…ES IST ZWAR GEGEN DIE VORSCHRIFT, ABER ICH VERSPRECHE DIR, ES BLEIBT UNTER UNS. ERZÄHL MIR BITTE ALLES, WAS DU ÜBER EINEN DEINER KOLLEGEN WEISST…

…DEN, DEN WIR IM JULI ZUSAMMENGESCHLAGEN IN EINEM MOTEL GEFUNDEN HABEN.

LUNDSTROM?…HM, ICH GLAUBE, DEN HAT MAN SEITDEM "BEURLAUBT"…WAS GENAU WILLST DU WISSEN?

WORAN HAT ER VOR ETWA SECHS MONATEN GEARBEITET?

HÖR MAL…DAS IST NICHT MEIN FALL, ABER…ER WAR NICHT VON HIER. DAS WAR EIN AGENT DER ABTEILUNG IN TONOPAH, NEVADA…DER FALL IST HEISS, RAUL! VORSICHT…

DANKE…WOLLT'S NUR WISSEN. MACH'S GUT, ALTER.

ROUTE 93 AR FREI, S SIE SIE URZ NACH SONNEN- AUFGANG RREICHTEN. BIS ZUR GRENZE CH IDAHO MEN IHNEN NUR EIN PAAR STWAGEN NTGEGEN …

TRIXIE'S TOURIST CAMP

Balaf

Balaf

63

LASS UNS REDEN, MURPHY...

SCHADE, DASS DU NICHT BEI UNS GEBLIEBEN BIST, DAS HÄTTE DIR EINE MENGE ÄRGER ERSPART. WEIT LASSEN SIE DICH JETZT NICHT MEHR.

KLANG

SIE KOMMEN WIEDER!

KLAR, DIE HABEN 120 PS MEHR! IN DER GE-BIRGSKETTE DAHINTEN HÄNGE ICH SIE AB.

DIE DA WOLLEN DICH JEDEN-FALLS LEBEND HABEN.

...AR WIRKLICH EIN GUTER FAHRER. OBWOHL SEIN WAGEN WENIGER ...BESASS, KONNTE ER IHNEN IN DER STEIGUNG DER PASS-STRASSE IN ...ER KURVE EIN PAAR METER ABGEWINNEN. DIE ANDERE SEITE DES ...GES RASTE ER DANN IM AFFENZAHN HINUNTER. DREI KILOMETER VOR ...I ENDE DES GEFÄLLES, ALS SIE BESTIMMT AUSSER SICHTWEITE WA-..., FUHR ER DEN CHEVROLET IN EINEN WALDWEG UND HIELT AN. ...I MINUTEN SPÄTER BRAUSTE DER DODGE MIT VOLLGAS VORBEI.

...REND
...ER
...CH
...SUCHTE,
...NEN
...ÜCK-
...AND
...FZU-
...LEN,
...ELTEN
...E AN
...NER
...SAMEN
...ANK-
...ELLE.

ES GIBT KAFFEE UND HAMBURGER.

HAB DEN ÖLSTAND ÜBER-PRÜFT. WAR JA FAST KNOCHENTROCKEN!

EINVERSTANDEN. ER WILL MIT IHNEN REDEN.

ACH, HAT ER SICH ENDLICH ENTSCHLOSSEN? WIR SIND HAUPTSÄCHLICH ZU SEINEM SCHUTZ DA, WISSEN SIE. WIR MÖCHTEN NICHT, DASS DIE DASSELBE MIT IHM MACHEN WIE MIT IHREM GÄRTNER.

WER SIND **DIE**?

DAS FBI EBEN.

SIE SAGTEN, BEI IHNEN WÄRST DU SICHER GEWE-SEN. WANN WAR DAS, MAX? ...WER SIND SIE?

RESTA

UND WER SCHICKT SIE?

TUUT

E SCHEINEN JEDEN UNSERER SCHRITTE VORAUSZUSEHEN!

VIELLEICHT, WEIL'S IHR BERUF IST.

WAS HAST DU MIT IHREM WA-GEN GEMACHT?

HAB DEN VERTEILERKOPF RAUS-GERISSEN. ZEIG MIR DIE KARTE.

IREND ER IM FAHREN DIE AUF DEM STEUER AUSGEBREITETE KARTE DIERTE, BLICKTE LAURA UM SICH...IN DER FERNE WURDE DER DODGE CH GRÖSSER.

"HÄTTEST DU NICHTS BESSERES FINDEN KÖN-NEN ALS DEN TRICK MIT DEM ZÜNDKABEL?" SAGTE SIE. "VOR ALLEM VOR 'NER WERKSTATT!" "JA. HÄTTE IHNEN ALLE 4 REIFEN ZERSTECHEN SOLLEN." ER BREMSTE SCHARF. "LÄSST DU SIE AUCH NOCH ÜBERHOLEN?" FRAGTE LAURA.

NEIN, ICH HÄNG SIE ENDGÜL-TIG AB. MIR REICHT'S JETZT. HALT DICH FEST!

MAAAX!!!

DU HAST SIE UMGE-
BRACHT! UND WENN
SIE UNS WIRKLICH
HELFEN WOLLTEN?

EGAL... SIE GEFIELEN MIR
NICHT. WENN ICH EIN MÖRDER
BIN... HABEN SIE MICH DAZU
GETRIEBEN.

OH, MAX!

300 KILOMETER ENTFERNT GIBT'S
EINE STADT, DIE CONSEQUENCES
HEISST. ALS ICH DEN NAMEN AUF DER
KARTE LAS, WAR'S, ALS BLIEB MIR 'N
EISWÜRFEL IM HALS STECKEN. VOR
EINBRUCH DER NACHT SIND WIR DA.

EINE ARMEESPERRE, HIER? AUF DER KARTE
IST KEIN STÜTZPUNKT EINGEZEICHNET...

ABER ICH WAR IN DER ARMEE, ALS
ALLES BEGANN, ERINNERST DU DICH?

ES GIBT EINE ANDERE STRASSE, ÜBER ELY.

CONSEQUENCES 21

MIR IST KALT. KÖNNEN WIR NICHT EINE DECKE ODER SO WAS KAUFEN?

WELLS 12

TONOPAH 168

AIRPORT 5

YUCCA FLATS ARMY BASE

LE FILON

BUVEZ Pepsi Cola

INDIANISCHES KUNSTHAND- WERK

TÖPFERWAREN SÄTTEL SCHMUCK TEPPICHE PUPPEN SOUVENIRS USW.

WO IST BITTE DER WASCHRAUM?

TOILET

HMMMH...

69

CONSEQUENCES

ICH BIN'S, DELGADO. ICH BIN GE-
KOMMEN, UM DICH DA RAUSZU-
BOXEN, LAURA. ANGEBLICH
SOLL'S UM MAX SCHLIMM
STEHEN... HÖRST DU MICH?...
ICH NEHME DIE HAND FORT...

SIE MUSSTE WILD NICKEN, EHE ER DEN GRIFF
LOCKERTE.

DIESER DODGE, VON DEM DU SPRACHST,
FOLGT DER EUCH NOCH IMMER?

ER HAT SIE GETÖTET...

"VERDAMMT!" SAGTE ER UND ÜBERLEGTE.

WENN ICH DICH BITTE, DURCH DIESE TÜR ZU
GEHEN UND IM BÜRO DES SHERIFFS AUF
MICH ZU WARTEN, WIRST DU DAS TUN? ES
IST IN DER STRASSE HINTERM PARKPLATZ.
ICH VERSU- CHE, MIT IHM ZU REDEN.

DEUTETE EIN ZUSTIMMENDES ZEICHEN MIT
KOPF AN, SAGTE DANN: "JA." KOMISCH,
LEICHT HÄTTE SIE GENAU DAS GETAN, WENN
NICHT AUFGETAUCHT WÄRE. EINFACH IN DIE
CHT HINAUSGEHEN UND MAX VERGEBLICH
WAGEN WARTEN LASSEN.
R BEWAFFNET?" FRAGTE DELGADO.
IN, IM MOMENT NICHT."

ÜBRIGENS... LUNDSTROM LEBT.
IHR HABT IHN NICHT UMGEBRACHT.

DELGADO WAR AUF DEM NULLPUNKT, ALS
ER DIE TÜR DES SOUVENIRLADENS ER-
REICHTE. NICHT WEGEN MAX, DER HATTE
IHN AUCH IM JULI, IM "PALISADES MOTEL",
KAUM BEEINDRUCKT, UND DELGADO FÜHL-
TE SICH ALS "HARTER BULLE" SOLCHEN
SITUATIONEN DURCHAUS GEWACHSEN...
VIELLEICHT WEGEN DER WÜSTE, DER
NACHT, WEGEN DEM, WAS ANSCHEINEND
ALLE VERSCHLEIERN WOLLTEN, DIESER
SACHE, DIE AUS MAX EINEN ZOMBIE
GEMACHT HATTE.
ER KNÖPFTE DIE JACKE AUF, LEGTE
DIE HAND AUF DEN REVOLVER, SCHLUCK-
TE EINMAL UND TRAT ÜBER DIE
SCHWELLE.
DER CHEVROLET WAR WEG.

SOFORT DACHTE ER AN LAURA: HATTE MAX SIE DURCH
DEN HINTERAUSGANG DAVONGEHEN SEHEN? HATTE
ER SIE ABGEFANGEN? DANN ENTDECKTE ER DEN WA-
GEN AUF DER ANDEREN STRASSENSEITE, GANZ HARM-
LOS VOR DER ERLEUCHTETEN SUPERIOR-TANKSTELLE
PARKEND. MAX STAND NEBEN DEM TANKWART.

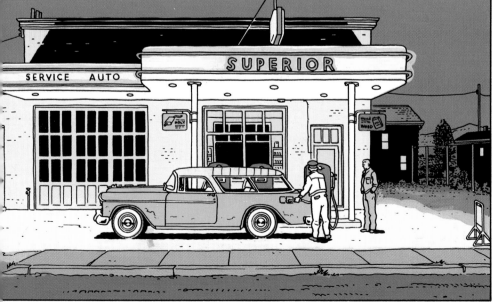

BEGANN DIE STRASSE ZU ÜBERQUEREN, DIE HAND AN DER WAFFE. SEINE FÜSSE WAREN WIE AUS BLEI. MAX BRAUCHTE DREI SEKUNDEN, UM DIE
EN AUF DEN MANN ZU RICHTEN, DER STATT LAURA DEN LADEN VERLIESS UND AUF DIE TANKSTELLE ZUSCHRITT...

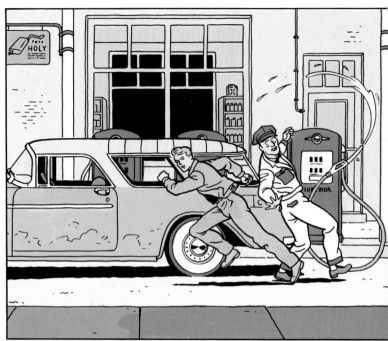

... ZU DENKEN, DASS ER AUSSAH WIE JEMAND, DEN ER VOR LANGER ZEIT IN METROPOLIS KENNENGELERNT HATTE, DELGADO ZU ERKENNEN UND SICH ZU FRAGEN, WAS DER DA ZU SUCHEN HATTE.

BLEIB HIER, MURPHY!

BAM BAM

AUS REINEM BERUFSREFLEX HERAUS SCHOSS DELGADO DREIMAL AUF DIE REIFEN DES FLIEHENDEN CHEVROLETS. WIE ZU ERWARTEN, VERFEHLTE ER SIE.

DELGADO BRACHTE LAURA IN SEINEM MIETWAGEN ZUM FLUGHAFEN, ABER DIE NÄCHSTE MASCHINE GING ERST AM FOLGENDEN TAG. SIE NAHMEN EIN HOTELZIMMER, WO ER DEN GRÖSSTEN TEIL DER NACHT DAMIT VERBRACHTE, SIE VOM AUSGELEIERTEN SESSEL AUS IM SCHLAF ZU BEOBACHTEN, SO WIE EIN HILFSKRANKENPFLEGER EINER NERVENKLINIK SEINE KLEINE SCHWESTER ANSTARREN WÜRDE, AN DER ER PLÖTZLICH OFFENSICHTLICHE ANZEICHEN VON SCHIZOPHRENIE FESTSTELLT. ÜBRIGENS FIEL SIE IN EINE ART LETHARGIE, DIE ETWA 48 STUNDEN ANHIELT UND AUS DER SIE NICHT MAL IHRE HEIMKEHR ALS OPFERLAMM IN DEN SCHOSS DER FAMILIE RISS – ABER VIELLEICHT TAT SIE AUCH NUR SO. SIE MUSSTEN EINEN UMWEG ÜBER LAS VEGAS MACHEN, DER EINZIGEN FLUGVERBINDUNG AN DIESEM MORGEN. VON DORT AUS RIEF DELGADO IHRE ELTERN AN, UM SIE AUF IHRE ANKUNFT VORZUBEREITEN.

SEIT ER SIE VOR DEM SHERIFFBÜRO –DAS SIE ÜBRIGENS NIE BETRAT– ABGEHOLT HATTE, UM IHR ANZUKÜNDIGEN, DASS MAX ENTWISCHT WAR HATTE SIE NUR EIN EINZIGES MAL DAS WORT AN IHN GERICHTET, UND ZWAR UM ZU FRAGEN, WOHER ER WUSSTE, DASS SIE IN ELY WAREN.

"EIGENTLICH DÜRFTE ICH GAR NICH HIER SEIN", ANTWORTETE ER. "WENN DAS FBI DAVON ERFÄHRT, KANN ICH WIEDER DEN VERKEHR REGELN ... IN DER GANZEN GEGE WIMMELT ES JETZT VON AGENT

ER FÜGTE NICHT HINZU, DASS ES BESSER WAR, DASS ER SIE VOR DE FBI-LEUTEN ENTDECKT HATTE, D NEN ER IN DEN LETZTEN 24 STUN DEN AUS DEM WEG GEGANGEN WAR. ELY WAR GANZ EINFACH DE NÄCHSTE ZIVILFLUGPLATZ VON YUCCA FLATS AUS GESEHEN, UN ER HATTE GEHOFFT, DASS SIE DO DURCHKOMMEN WÜRDEN.

WOW, LAURA, DIE FRISUR IST JA TOLL! NICHT WAHR, ERNESTINE?

ATTE GERA-
ERSUCHT,
SZUKRIE-
, OB JE-
D SIE HATTE
BEIFAHREN
EN, ALS ER
NOMAD
DEM SOU-
IRLADEN
MERKTE.
LS ER SPÄ-
MAL DIE
TERGRÜN-
ER GAN-
J GESCHICH-
ERFAHREN
RDE, SAGTE
WÜRDE ER
ALLES ER-
LEN, WENN
WOLLTE.
SAGTE
ER JA
H NEIN,
R ES SOLL-
HER NEIN
DEUTEN.

ICH STAND MIT IHREN ERZEUGERN IM TOREINGANG, ALS SIE AN JENEM ERSTEN MITTWOCH IM SEPTEMBER AUS DELGADOS WAGEN STIEG. UNTER IHRER JACKE TRUG SIE EIN NAGELNEUES KLEID MIT ROTEM SWEATER, DAS ER AM FLUGHAFEN VON VEGAS FÜR SIE GEKAUFT HATTE UND DAS IHR DAS AUSSEHEN EINES KAMBODSCHANISCHEN FLÜCHTLINGS VERLIEH, DEN MAN BEI EINEM ÜBERRASCHUNGSBESUCH DER FRAU PRÄSIDENTIN IM AUFFANGLAGER HASTIG HERAUSGEPUTZT HAT.

TER LINELL HIELT IHRE WÜRDE HINTERM TASCHENTUCH AUFRECHT, WÄHREND GEORGE SEINER TOCHTER ZÄRTLICH DEN ARM UM DIE SCHUL-LEGTE UND SIE WORTLOS ÜBER DIE SCHWELLE FÜHRTE. SEIN WOHLWOLLENDES UND MANNHAFTES SCHWEIGEN STELLTE IN SEINEN EN NOCH DAS BESTE DAR, WAS ES AUF DEM SEKTOR ZWISCHENMENSCHLICHER KOMMUNIKATION GAB. DANN LIESS ER SICH ETWAS GEHEN BEMERKTE: "ICH GLAUBE, ICH WERDE MIR EINE ZIGARRE GENEHMIGEN!... WIE DAMALS, ALS DU NACH DER BLINDDARMENTZÜNDUNG AUS KLINIK NACH HAUSE KAMST!"

GADO WURDE AUFGEFORDERT, ZUM NDESSEN ZU BLEIBEN, WAS ER HÖF-ABLEHNTE. AM FOLGENDEN SAMS-KAM ER WIEDER, UM SICH NACH IH-ERGEHEN ZU ERKUNDIGEN, UND M DIESMAL DIE ERNEUTE EINLA-G AN. DOCH AN DEM ABEND HAB ICH REHKEULE MIT HEIDELBEEREN KOHLEN LASSEN, WESHALB DAS EN EBENSO KULINARISCH WIE, STIMMUNG UND KONVERSATION ING, EINE KATASTROPHE WAR.

MAN SPRACH WESENTLICH MEHR VON IHRER, SPEZIELL FÜR DAS WUNDERKIND ORGANISIERTEN REISE NACH EUROPA (MIT SEINEN GROSSEN MALERN UND MÄRCHENSCHLÖSSERN) ALS VON IHREM LETZTEN URLAUB IN BEGLEITUNG EINES UNTER GEDÄCHTNIS-SCHWUND LEIDENDEN EX-KORPORALS, EIN THEMA, DAS ALLE SORGFÄLTIG VERMIEDEN. NACH DER RÜCKKEHR VON IHREM KUL-TURTRIP LEGTE SIE EIN PLÖTZLICHES UND ÜBERTRIEBENES INTER-ESSE FÜR DIE VERHÄNGNISVOLLEN FOLGEN DES RAUCHENS AN DEN TAG. SIE ORGANISIERTE AN DER UNI EIN ANTI-TABAK-PRO-PAGANDAZENTRUM FÜR STUDENTEN, DAS DIVERSE ZUSCHÜSSE ERHIELT.

MAN WÄHLTE SIE ZUR CAMPUSKÖNI-GIN, UND GANZ NEBENBEI SCHLOSS SIE DAS JAHR MIT AUSZEICHNUNG AB.
IM WINTER SAH ICH SIE EINMAL AM RAND DES LEEREN SWIMMINGPOOLS SITZEN, DIE AUGEN AUF DEN AN-BAU GERICHTET, IN DEM MAX GE-WOHNT HATTE, ABER ICH KANN NICHT MIT SICHERHEIT SAGEN, OB SIE WIRKLICH DARAN DACHTE.
WAS MAX-ODER MATT MURPHY-ANGEHT, SO HABEN WIR NIE MEHR ETWAS VON IHM GEHÖRT.
UND WENN DIE POLIZEI ERFAHREN HAT, WAS AUS IHM WURDE, SO HAT SIE MICH NICHT AUF DEM LAUFEN-DEN GEHALTEN.

ELECTI
NE OU CA

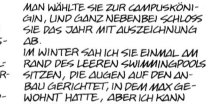

LETZTEN SOMMER IST MEINE VERLOBTE DA UNTEN AN LEUKÄMIE GESTORBEN.

SEIT KURZEM GIBT'S IN CONSEQUENCES JEDE MENGE FÄLLE VON LEUKÄMIE!

ICH HAB 'NEN HARTEN SCHÄDEL, WIE SIE SEHEN. ES BRAUCHT SCHON MEHR, UM MICH UMZUBRINGEN. UND ICH BIN NICHT NACHTRAGEND, WENN SIE DAS BERUHIGT. ICH VERSTEH SIE BESSER, ALS SIE GLAUBEN. WOLLEN SIE 'NEN SCHLUCK?

DIE BEIDEN MÄNNER, DIE ICH GESTERN UMGEBRACHT HABE, DIE SIND WIRKLICH TOT.

DABEI KANNTE ICH EINEN VON IHNEN. WIR HABEN DREI WOCHEN LANG IM SELBEN LADEN GEARBEITET.

ACH JA? WENN DAS DIE WAREN, AN DIE ICH DENKE, MACHEN SIE SICH MAL KEINE GEDANKEN. VIELLEICHT KRIEGEN SIE DAFÜR SOGAR 'NEN ORDEN.

NIEMAND ZU SEHEN... NUR SOLDATEN.

NATÜRLICH... DAS IST DIE OPERATION "ANA-CONDA"! ODER... DIE KONSEQUENZEN DAVON... HA, HA, GUTER WITZ!

NA JA, EIGENTLICH HATTE ICH IHN MIR SCHON GE-STERN ZURECHTGELEGT, FALLS ICH JEMANDEN TREF-FE. KANN ICH DEN FLACHMANN WIEDERHABEN?

ES FÄLLT IHNEN IMMER NOCH NICHT EIN, WAS, MURPHY? BLOSS BRUCHSTÜCKE, DIE NICHT ZUSAMMENPASSEN WOLLEN. WIR HABEN GUTE ARBEIT GELEISTET!

TUT MIR LEID... MICH HABEN DIE AUCH DA REINGEZOGEN, ABER MEHR KANN ICH NICHT SAGEN, VERSTEHEN SIE? DAS SCHULDE ICH DENEN NOCH.

IN MEINEM JOB LEISTET MAN EINEN EID. ALSO WÄR'S MIR LIEBER, WENN SIE SICH VON ALLEINE ERINNERN WÜRDEN.

LECK MICH DOCH AM ARSCH!

ENDE